HOLL GANEUON

Dafydd Iwan

Argraffiad cyntaf: Tachwedd 1992
Hawlfraint y caneuon: Cyhoeddiadau Sain
Hawlfraint y casgliad a'r trefniadau: Y Lolfa

Cynllun y clawr: Marian Delyth
Llun lliw y clawr blaen: Emyr Williams

Trefnwyd a golygwyd y gerddoriaeth gan Hefin Elis
Cysodwyd y gerddoriaeth yn Nhalybont gan Y Lolfa

Rhif Llyfr Rhyngwladol: 0 86243 277 4

Argraffwyd a chyhoeddwyd yng Nghymru
gan Y Lolfa Cyf., Talybont, Ceredigion SY24 5HE;
ffôn (0970) 832 304, ffacs 832 782

HOLL GANEUON

Dafydd Iwan

ER COF AM MAM,
A'M DYSGODD I GARU CERDDORIAETH,
AC A GADWODD YR ANGERDD HYD Y DIWEDD

Noson Corwen, Gorffennaf 16, 1988.
'DAFYDD IWAN A CHYFEILLION CHWARTER CANRIF'
Yn y llun, o'r chwith i'r dde:
LOWRI CEREDIG (merch fy mrawd), ELLIW HAF (merch),
FI, MAM, TELOR HEDD (mab), LLION TEGAI (mab).

Rhagair

DIOLCH BYTH, nid hwn yw'r casgliad cyflawn! Mae ambell i gân yn dal i ddod o rywle, ac ambell i beth yn dal i ddeffro'r awen. Ond mae'r llyfr hwn yn corlannu'r rhan fwyaf o'r defaid sy'n dal ar dir y byw. Cawsom wared ar ambell i ddafad golledig a grwydrodd yn ddiarwybod i'r gorlan gynta, a chael gwared yr un pryd ar hesbin neu ddwy nad oedd yn talu am eu lle. Ychwanegwyd atyn nhw'r defaid a'r ŵyn newydd, ac wele lond corlan yn brefu am eu rhyddid ar fynydd agored.

Bûm yn canu drwy sawl tro ar fyd erbyn hyn, a gwelais sawl ffasiwn mewn canu yn dod a mynd. Rwy'n fwy argyhoeddedig heddiw nag erioed fod hanfod caneuon a chanu effeithiol yn aros yn ddigyfnewid, er gwaetha pob ffasiwn. Cyfuniad ydyw o eiriau sy'n ddiffuant, alaw sy'n ategu'r geiriau, a datgeinydd sy'n credu'r hyn y mae'n ei ganu. Fel hyn mae cân dda yn cael ei chreu o'r newydd bob tro y caiff ei chanu, a dylai pob datgeinydd roi ei stamp ei hun ar y gân. Gall arddull y canu, y cyfeiliant a'r 'cynhyrchiad' newid wrth gwrs—yn wir, mae'n bwysig fod hynny yn digwydd—ond ni ddylent fyth guddio na thynnu oddi wrth y briodas hanfodol rhwng y geiriau, yr alaw a'r cyflwyniad.

Fel rheol, mae'r caneuon y cyfansoddais y geiriau a'r alaw iddyn nhw yn 'gweithio'n' well am fod y ddwy elfen wedi tyfu gyda'i gilydd fel petai. Anaml iawn, os byth, y bydd y geiriau neu'r alaw yn orffenedig y naill o flaen y llall. Rhaid cychwyn gyda syniad, neu destun, neu thema o ryw fath wrth gwrs, ac y mae hynny fel arfer yn penderfynu natur a thempo'r alaw. Ond wedyn gall y geiriau ffurfio'r alaw i raddau helaeth, a'r alaw hithau yrru'r geiriau yn eu blaen. O ganlyniad, mae'r plethiad rhwng y ddwy elfen yn dynn ac anwahanadwy, a'r plethiad hwnnw'n gwneud y gwaith o ganu'r gân yn haws ac yn fwy effeithiol. Ond fel y gwelwch, mae ambell i blethiad yn dynnach na'i gilydd!

Pan ddechreuais botshan canu gyda'r gitâr, ffitio geiriau Cymraeg ar alawon o gasgliadau gwerin Americanaidd a wnawn fynycha. Weithiau byddai'r geiriau'n 'draddodiadol', dro arall byddwn yn gwneud geiriau fy hun. Weithiau mae'r geiriau'n addasiad o'r gwreiddiol (megis Ffwdl-da-da), dro arall pennill neu ddau gen i at rai traddodiadol (megis Mi fûm yn Gweini Tymor). Bûm yn addasu caneuon gan Bob Dylan, Pete Seeger, Woody Guthrie, Joan Baez a Donovan, a gwnes ddefnydd helaeth o gasgliadau Burl Ives, cyn cymryd y cam naturiol wedyn i geisio gwneud caneuon fy hunan, yn alaw a geiriau, yn sôn am y byd y gwyddwn i amdano.

Bûm yn ffodus o gael Hefin Elis fel cyfaill a chyfeilydd a chyd-weithiwr ers dechrau'r saith-degau, a mawr yw fy nyled i—a'r byd adloniant Cymraeg yn gyffredinol—iddo am ei lafur a'i ddawn a'i gymorth parod. Cyfansoddodd Hefin nifer o alawon imi, fel arfer ar eiriau oedd eisoes mewn bod (megis Mae Rhywun yn y Carchar Drosom Ni a Chwe Chant a Naw), dro arall byddem yn gyd-gyfrifol am y geiriau (megis Mae'r Llencyn yn y Jêl). Mae'n dda gen i gael y cyfle hwn i ddiolch i Hefin ac i bawb arall y bûm yn cam-drin eu halawon dros y blynyddoedd!

O bryd i'w gilydd, ond ddim yn aml, caf yr awydd i sgrifennu pwt o gerdd heb alaw.

5

Mae ambell gerdd yma'n disgwyl am alaw,
ac un wedi ei gwrthod gan gyfansoddwraig
anhysbys am ei bod yn rhy sentimental! Bu
yna unwaith alawon i rai o'r rhain, ond
aethant i ebargofiant, heb golled fawr i neb.

Yma hefyd mae Cân y Medd, sy'n
unigryw hyd y gallaf gofio am imi wneud
alaw i eiriau rhywun arall—neb llai na T.
Gwynn Jones— a'chân gyda llaw y caf
laweroedd o hwyl ar ei chanu o hyd. Ac yma
mae tair o ganeuon hyfryd Hefin nad oes
gen i ddim hawl arnyn nhw o gwbl ond imi
eu canu; ac yn achos I'r Gad, ei chanu'n
amlach na'r un gân o'm heiddo fy hun, heb
flino byth arni, nag heb iddi erioed fethu â
chodi'r to!

Dyma nhw felly, yn wych a gwachul, yn
un cawdel amryliw, wedi eu gosod yn nhrefn
y wyddor, yn ôl llythyren gyntaf y teitl.
Gobeithio y cewch chi gymaint o hwyl ar eu
canu ag y cefais innau dros y deng mlynedd
ar hugain hyn.

Daliwch i gredu, a daliwch i ganu!

DAFYDD IWAN

Hydref 1992

6

Cynnwys

C = Carolau a chrefyddol
D = Caneuon dysgwyr
P = Caneuon plant

© Cyhoeddiadau Sain
Y geiriau a'r alawon gan Dafydd Iwan oni nodir
yn wahanol.

Elvis Cymru wrthi'n cyfansoddi, nôl yn y chwedegau!

Y cord cyntaf!

D. I. ac Edward yn trafod Cwm Rhyd y Rhosyn?

9

Cyfweliad pwysig gyda John Ifans ar
ôl ennill cystadleuaeth 'Cân y
Flwyddyn' ym Mbontrhydfendigaid

Actio'r ffŵl yn stiwdio Sain
(Gwernafalau)

Hywel Gwynfryn yn cyflwyno Disg
Aur i Dafydd yn Eisteddfod
Genedlaethol Llangefni

1 A Chofiwn Ei Eni Ef

1   Cofiwn y preseb a'r gwely'n y gwair,
     Cofiwn y baban a anwyd i Mair,
     Cofiwn ei fywyd a chofiwn ei Air
     A chofiwn ei eni Ef.

2   Mae'r goeden Nadolig a'r hosan yn llawn
     A brigau'r gelynnen yn goch gan y grawn,
     Ar ddydd gŵyl yr Iesu cyd-ganu a wnawn
     A chofiwn ei eni Ef.

3   Gwefusau yr afon wedi cloi yn dynn,
     Pibonwy dan y bargod a rhew ar y llyn,
     Yr eira yn gorwedd fel cwrlid mawr gwyn
     A chofiwn ei eni Ef.

4   Mae'r teulu'n barod ar gyfer y wledd
     A'r milwr yntau yn gweinio ei gledd,
     Ar draws pum cyfandir ceir ennyd o hedd
     I gofio ei eni Ef.

2 A Gwn Fod Popeth yn Iawn

(Ar alaw Bob Dylan 'Don't think twice it's Alright')

♩ = 116 (doh = G)

Rwy'n dech-rau coll-i 'myn-edd â Chym-ru, llond gwlad o dae-og-ion a

chrach; rwy'n dech-rau cael llond bo-la ar Wal-ia, pys - god mawr mewn llyn-noedd

bach; ond daw Wyn a Del - wyn i ad - fer fy ffydd a Kinn-ock ac Ab-se fel

go - lau ddydd i'n ha-chub ni rhag y Gym-ru rydd a

gwn fod po - peth yn iawn.

1   Rwy'n dechrau colli 'mynedd â Chymru
     Llond gwlad o daeogion a chrach,
     Rwy'n dechrau cael llond bola ar Walia
     Pysgod mawr mewn llynnoedd bach,
     Ond daw Wyn a Delwyn i adfer fy ffydd
     A Kinnock ac Abse fel golau ddydd
     I'n hachub ni rhag y Gymru rydd
     A gwn fod popeth yn iawn.

2   Rwy wedi colli gafael ar y Pethe
     Ac yn meddwl fod y cyfan ar ben,
     Y gynghanedd yn chwalu yn yfflon
     Alawon gwerin fel lludw yn fy mhen,
     Ond daw Keith a Niclas i'n codi i'r lan
     Fel pâr o fagle i gynnal y gwan,
     A symudwn yn hwylus o fan i fan
     A gwn fod popeth yn iawn.

3   Mae diwylliant yn stwmp ar fy stumog
     A Cherdd Dant yn dechre mynd yn fwrn,
     Eisteddfod yn codi cyfog,
     A Lloyd George yn codi'i ddwrn,
     Ond daw Magi Thatcher fel awel iach
     I dorri'r gwastraff o Gymru fach
     I'n hachub ni rhag chwyddiant a strach
     A gwn fod popeth yn iawn.

4   Os digwydd i'r Cymry wallgofi
     A chrefu am ryddid i'w gwlad
     Fe godith rhyw arwr o Dori
     A daw Kinnock ac Abse i'r gad
     I gnocio sens i'n penne bach dwl,
     A'n cadw'n deyrngar i'r hen John Bull,
     Cawn dynnu'r dôl a mynd i ista'n y Bwl
     A gwn y bydd popeth yn iawn.

3 Ac Fe Ganon Ni

1   Aeth y coliar i berfedd y ddaear
    Ar ei bedwar mewn tywyllwch a llaid
    I geibio'r glo o'r wythïen
    Yn ddi-gŵyn am mai hynny oedd raid
    Aeth y llwch i gilfachau'i ysgyfaint
    Aeth ei gamau yn fyrrach bob dydd
    Collodd ei frwydr â'r tyle
    Ac fe'i rhoddwyd e'n ôl yn y pridd—
      Ac fe ganon ni 'O Fryniau Caersalem'
      Ac fe ganon ni 'Mae 'Nhad wrth y Llyw'.

2   Gadawai'r chwarelwr ei dyddyn
    'Nôl ei arfer cyn toriad y wawr
    I hongian ar raff uwch y dibyn
    Fel pendil ar y clogwyn mawr
    Bargen sâl oedd ei fargen
    Er iddo feithrin pob hollt yn y graig
    Amddifad ei bedwar plentyn
    A gweddw annhymig ei wraig—
      Ac fe ganon ni 'O Sanctaidd Ddiddanydd'
      Ac fe ganon ni 'Mae 'Nhad wrth y Llyw'.

3   Roedd perchennog y lofa yn Llundain
    Yn byw ar ei gyfoeth yn fras
    Ac arglwydd y stad a'r chwareli
    Fel brenin y fro yn ei blas,
    Ac os deuent ar dro yn eu cerbyd
    A chwrdd â'r gwerinwyr ar hap
    Roedd disgwyl i'r wraig foesymgrymu
    A'i gŵr yntau gyffwrdd ei gap—
      Ac fe ganon ni 'Rule Britannia'
      Ac fe ganon ni 'God Save the Queen'.

4.   Wyt ti'n cofio Streic Fawr y Penrhyn
    Wyt ti'n cofio'r Tridegau fy nhad?
    Ceginau cawl yn y Rhondda
    A'r miloedd yn gadael eu gwlad?
    Wyt ti'n cofio'r cwymp yn y chwarel
    A'r beddau ym mynwent y Llan?
    Wyt ti'n cofio Senghennydd a Gresford
    A'r Angau yn Aberfan?
      Ac fe ganon ni 'O Fryniau Caersalem'
      Ac fe ganon ni 'Mae 'Nhad Wrth y Llyw'.

5   Aeth meibion chwarelwyr a glowyr
    I ymladd dros 'Frenin a Gwlad'
    Dros 'Ryddid y Gwledydd Bychain'
    Yr aethant, y dewrion, i'r gad
    Tywalltwyd breuddwydion i'r ffosydd
    A gwaed y diniwed i'r llaid
    A dychwelodd y gweddill i'r chwarel
    A'r lofa am mai hynny oedd raid—
      Ac fe ganon ni 'Rule Britannia'
      Ac fe ganon ni 'God Save the Queen'.

6   Mae tawelwch yng Nghwm Tryweryn
    A llonydd yw wyneb y dŵr
    Does 'na neb yn gwarchod yr argae
    Na gwyliwr mwy ar y tŵr
    Mae glaswellt ar domen y chwarel
    A choed ar y tipie glo
    Ond all dŵr na glaswellt na choedwig
    Fyth guddio y graith yn y co—
      Ac fe ganwn ni 'Hen wlad fy Nhadau'
      Ac fe ganwn gyda'n gilydd 'I'r Gad!'

4 Ai Am Fod Haul yn Machlud?

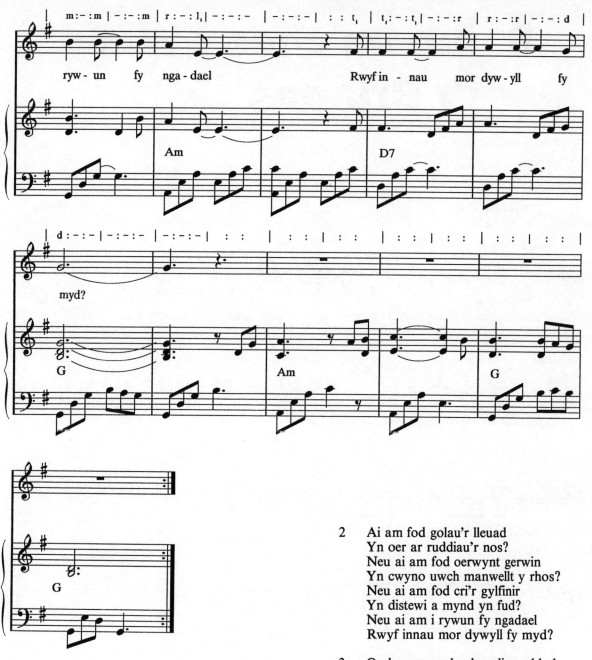

ryw - un fy nga - dael   Rwyf in - nau   mor dyw - yll   fy

Am

D7

myd?

G

Am

G

G

1 Ai am fod haul yn machlud
  Mae deigryn yn llosgi fy ngrudd?
  Neu ai am fod nos yn bygwth
  Rhoi terfyn ar antur y dydd?
  Neu ai am fod côr y goedwig
  Yn distewi a mynd yn fud?
  Neu ai am i rywun fy ngadael
  Rwyf innau mor unig fy myd?

2 Ai am fod golau'r lleuad
  Yn oer ar ruddiau'r nos?
  Neu ai am fod oerwynt gerwin
  Yn cwyno uwch manwellt y rhos?
  Neu ai am fod cri'r gylfinir
  Yn distewi a mynd yn fud?
  Neu ai am i rywun fy ngadael
  Rwyf innau mor dywyll fy myd?

3 Ond os yw yr haul wedi machlud
  Mae gobaith yng ngolau'r lloer,
  A chysgod yn nwfn y cysgodion
  I'm cadw rhag y gwyntoedd oer,
  Ac os aeth cri'r gylfinir
  Yn un â'r distawrwydd mawr,
  Mi wn y daw rhywun i gadw
  Yr oed cyn toriad y wawr.

5 Am na ches i Wâdd i'r Briodas

(Carlo a Dai)
(Ar alaw 'Galway Bay')

1   Rwy'n torri 'nghalon am na ches i wâdd i'r briodas
    A Charles a minnau'n ffrindiau ers cyhyd.
    Rwy wedi canu'i glod yn ffyddlon ers blynyddoedd,
    A dweud mai fe yw Cymro gorau'r byd.

2   Ro'n i wedi prynu dicibow'n arbennig,
    Top hat a chôt-dal-adar cynffon fain,
    Trowsus streip a spats ac ambarelo
    Ond os na cha'i wâdd, beth ddiawl wna i â'r rhain?

3   Mae 'na rai di-barch sy'n chwerthin am dy ben di,
      Ond 'jealous' ŷn nhw am dy fod ti'n fab i'r cwîn,
      Maen nhw'n dweud dy fod ti'n joci anobeithiol
      Dy fod ti'n amlach ar dy drwyn nac ar dy din.

4   Mae 'na rai sy'n dweud dy fod ti'n barasitig
      Yn byw yn fras ar gefen bois fel ni,
      Ond paid hidio dim, os byth y byddi mewn angen
      Tyrd ar y ffôn fe gei di 'sub' gen i.

5   Mae 'na rai sy'n dweud nad wyt ti fawr o Gymro,
      Ond mi wn i'n iawn beth yw dy bedigrî
      Dy fod yn perthyn trwy waed i holl frenhinoedd Ewrop
      (Gan gynnwys peint neu ddau o waed hogia ni).

6   Paid cymryd sylw o'r 'natives' sy'n protestio
      Yn India bell, yn Aberystwyth, neu Awstraliâ
      A phaid hidio os yw dy ffôn yn cael ei dapio
      Mae hynny'n bownd o ddigwydd i Gymro da.

7   Mae rhai yn dweud mai snobs sy'n chware polo,
      Ac mai ffŵl sy'n hedfan yn isel mewn eroplên
      Ond s'dim ots 'da fi be wnei di os wyt ti'n joio,
      Ond gofala osgoi corn simne Anti Jên.

8   O mi ro' i dy lun di'n fawr ar ben y piano
      Os ca'i ddod i briodas yr annwyl Ddai
      Mi ganaf gân am 'galon lân sy'n llawn Diana'
      A dyblu cytgan hyfryd 'Tra bo Dai'.

9   Os wyt ti Charles yn rhywle heno, yn gwrando ac yn cofio'r heniaith,
      Dim ots gen i am y Syr neu'r CBE
      Fe gei di gadw'r rhain os ca'i garden fechan
      I 'ngwâdd i briodas Dai a thi.

(Caner y pennill olaf yn araf a distaw, fel pe mewn gweddi)

6 Ar lan y Môr 1990

Caneuon 'Bwrw Mlaen'

1   Ar lan y môr roedd tywod melyn
      Ar lan y môr roedd hwyl a chwerthin
      Ar lan y môr mae baw a sbwriel
      Ar lan y môr mae'n dawel dawel.

2   Ar ben y bryn mae cân yr adar
      Ar ben y bryn mae cwmwl niwcliar
      Ar ben y bryn mae oen yn prancio
      Ond fydd neb yn ei gael i ginio.

3   Yn y fforest fawr mae sŵn y llifo
      Yn y fforest fawr mae coed yn syrthio
      Yn y fforest fawr mae'n rhaid lladd natur
      Er mwyn i ni gael darllen papur.

4   Ar ddŵr y llyn mae cwch yn hwylio
      Ar ddŵr y llyn mae dyn yn sgïo.
      I ddŵr y llyn fe ddaeth glaw asid
      I ddŵr y llyn daeth diwedd bywyd.

7 Awel yr Wylfa

(Alaw draddodiadol Wyddelig 'Buachaill an Eirne')

Cân i bedwar llecyn o brydferthwch naturiol, ac o dristwch dirdynnol

1   Mae awel yr Wylfa yn wylo i gyfeiliant y don
      A'r adar yn trydar eu gofid ar lwyni y fron
      Mae llwybr y geinach i'w weled yn glir ar y ddôl
      Ac mae'r wylan yn galw ar blant y tonnau yn ôl.

2   Ar erwau Trawsfynydd mae cysgod y cwmwl yn drwm
      A'r nentydd yn sibrwd eu pryder wrth lifo i'r cwm
      Mae llwybr y cadno i'w weled yn glir ar y ddôl
      A'r ehedydd yn galw ar blant y mynydd yn ôl.

3   Mae dyfroedd Tryweryn yn curo ar gerrig y lan
      Fel hunllef yn mynnu ailgodi ysbrydion y fan
      Mae'r defaid yn brefu eu hiraeth o lethrau a dôl
      A'r gylfinir yn galw ar blant y rhosydd yn ôl.

4   Mae gwyntoedd yr Epynt yn sgubo dros esgyrn y tir
      Fel gwerin yn mynnu cael dial 'rôl diodde mor hir
      Mae olion y tanciau fel llwybr o waed ar eu hôl
      A'r golomen yn galw ar blant y rhyfel yn ôl.

8 Baled y 'Welsh Not'

(Ar alaw 'On the Banks of the Ohio')

1 Aeth bachgen bach o'i gartref llwm
Un dydd o haf hyd lôn y cwm
Lawr i'r ysgol yn y llan
'Rôl dweud ffarwel wrth ei dad a'i fam.

2 Yr iaith Gymraeg oedd ei unig iaith
A hon siaradai ar ei daith,
Fe wyddai enwau'r blodau bach,
Roedd yn blentyn yr haul a'r awyr iach.

3 Canai hwiangerddi ei wlad
A glywsai gan ei fam a'i dad,
Adnodau fyrdd oedd ar ei go'
O'r Beibl Mawr nad oedd byth dan glo.

4 Ond seiniau'r gloch draw yn y llan
A alwai arno ef i'r fan,
A phan gaeodd drws yr ysgol fach
Caewyd allan yr haul a'r awyr iach.

5 *'No Welsh in here,'* oedd geiriau'r sgŵl
A dicter brad yn ei lygaid pŵl,
Ond ni ddeallai'r bachgen bach
A anwyd i'r haul a'r awyr iach.

6 Dylifai'r geiriau Saesneg bras
O enau rhwth y sgwlyn cas,
A gofyn wnaeth y bachgen bach
'Ga'i fynd i'r haul a'r awyr iach?'

7 Edrychodd pawb wrth glywed hyn
Ar ei wyneb llwyd yn un dyrfa syn,
'He spoke in Welsh,' meddai'r llais o draw.
Trywanwyd ei fron gan ergyd braw!

8 Fe'i llusgwyd ef hyd y llawr fel sach
Plentyn yr haul a'r awyr iach,
Gerfydd ei wallt fe godwyd ei ben
Ac am ei wddf crogwyd darn o bren.

9 Roedd dwy lythyren ar y pren,
Llythrennau'r Sais, sef 'W.N.'
Yn crogi am wddf y bachgen bach
A anwyd i'r haul a'r awyr iach.

10 Ar derfyn dydd fe'i curwyd ef
A chlywyd gwae ei grio ef
Yn atsain o amgylch y bwthyn bach,
Rhwng creigiau'r haul a'r awyr iach.

11 Mae'r plentyn bach yn awr mewn hedd
Yn huno mewn tragwyddol fedd,
Ond mae'r darn o bren a'r llythrennau du
Yn crogi am wddf dy blentyn di!

9 Baled yr Eneth Eithafol

(Ar alaw 'Frankie and Johnny')

1 Roedd Mali yn hogan eithafol
Yn llosgi fel tân dros ei gwlad
Yn aelod brwd o Gymdeithas yr Iaith
Er gwaetha'i mam a'i thad—
Roedd hi'n hogan glên
Bob amser â gwên.

2 Fe beintiodd hi gant o arwyddion
Cyn ei bod hi yn bymtheg mlwydd oed
Roedd ôl y paent ar ei dillad dydd Sul
A gwyrdd rhwng bodia'i thraed—
Roedd hi'n hogan glên
Bob amser â gwên.

3 Fe gerddodd hi mewn i'r Llythyrdy
A gofyn am ffurflen Gymraeg
Edrychodd y boi tu ôl i'r cownter yn syn
A gofyn 'Be haru ti'r ddraig?'—
Er ei bod hi'n glên
Diflannodd y wên.

4 Gafaelodd yn dynn yn ei goler
A sibrwd 'Wel yli di mêt
Ti'n lwcus mod i'n hogan ddi-drais
Neu mi caet ti hi gen i'n strêt'—
Roedd hi'n hogan glên
Bob amser â gwên.

5 Roedd hi'n ddawnus dros ben efo'r sbaners
Fel tae hi'n fecanic o'r crud
Tynnodd dri chant o arwyddion mawr
Rhwng San Clêr a Phorthyrhyd—
O roedd hi'n hogan glên
Bob amser â gwên.

6 Fe'i restiwyd hi wrth ymyl Dolgellau
A sbaner a lli yn ei cheg
Ond ddwedodd hi ddim byd cas wrth y glas
Na hyd yn oed awgrym o reg—
O roedd hi'n hogan glên
Bob amser â gwên.

7 Fe'i llusgwyd o flaen yr ynadon
Fel tae hi yn llofrudd o'r crud,
Fe'i cyhuddwyd o ladrad, brad a thrais
Ac o beryglu dyfodol y byd—
A hithau'n hogan glên
Bob amser a gwên.

8 A Mali ddaeth allan o'r carchar
A'i ffydd hi heb sigo'r un iot
Aeth lawr i farina newydd y Sais
Fe suddodd bedair iot—
Ond roedd hi'n dal yn glên
Bob amser â gwên.

9 Fe ddringodd i ben mast deledu
Cafodd ddamwain wrth ddringo i lawr
Daliwyd hi wrth gornel leining ei phais
Bu'n hongian am bedair awr
Ond ni chiliodd y wên—
Roedd hi'n hogan mor glên.

10 Eisteddodd mewn tai haf wrth y dwsin
Fe'i llusgwyd hi i ganol y stryd
Fe'i lluchiwyd hi unwaith drwy ffenest y llofft
Ond doedd hynny ond megis dim byd
I'r hen hogan glên
Oedd bob amser â gwên.

11 Rhyw ddiwrnod fe briododd 'rhen Fali
A chafodd dri neu bedwar o blant
Diflannodd yn sydyn o faes y gad
Ond bydd yn rebel nes bydd hi'n gant
Ac fe gofir y wên
A'r hen hogan fach glên.

10 Blodyn yr Alban

Addasiad o 'Flower of Scotland'

1   O flodyn yr Alban, pa bryd cawn weld dy debyg di?
    A frwydrodd hyd angau dros ddarn o fynydd a glyn
    A brwydro'n eofn yn erbyn y Saeson
    A'u troi tuag adref i 'styried drachefn.

2   Mae'r bryniau'n llwm nawr, a dail y coed yn drwch ar lawr
    Dros diroedd a gollwyd, er iddynt eu gwarchod mor ddewr
    A brwydro'n eofn yn erbyn y Saeson
    A'u troi tuag adref i 'styried drachefn.

3   Mae ddoe wedi mynd nawr, ac ni ddaw neb a ddoe yn ôl
    Ond fe godwn ni eto, a'n gwlad ddaw eto yn rhydd
    I frwydro'n eofn yn erbyn y Saeson
    A'u troi tuag adref i 'styried drachefn.

11 Bod yn Rhydd

Rwy' we-di pen-der-fy-nu, a da o beth yw hyn-ny, rwy we-di pen-der-fy-nu bod yn

rhydd, bod yn rhydd, bod yn rhydd, rwy we-di pen-der-fy-nu bod yn rhydd; mi

ddawn-siaf ddawns y Gym-ru Rydd, mi ga-naf gân y Gym-ru Rydd, rwy'n

y-fed i dor-iad yr hy-fryd ddydd, y dydd y bydd pob Cym-ro'n rhydd!

1   Rwy wedi penderfynu,
A da o beth yw hynny,
Rwy wedi penderfynu bod yn rhydd,
Bod yn rhydd, bod yn rhydd,
Rwy wedi penderfynu bod yn rhydd.

2   Rwy wedi cael llond bola
       Ar fod yn Gymro tila,
       Rwy wedi penderfynu bod yn rhydd,
       Bod yn rhydd, bod yn rhydd,
       Rwy wedi penderfynu bod yn rhydd.

       Cytgan: Ac mi ddawnsiaf ddawns y Gymru Rydd,
              Mi ganaf gân y Gymru Rydd
              Ac rwy'n yfed i doriad yr hyfryd ddydd,
              Y dydd y bydd pob Cymro'n rhydd!

3   Rwy wedi cael hen ddigon
       Ar fod yn Gymro bodlon,
       O hyn ymlaen rwyf eisiau bod yn rhydd,
       Bod yn rhydd, bod yn rhydd,
       Rwy wedi penderfynu bod yn rhydd.

4   Mae 'nghalon wedi blino
       Ar fod yn hanner Cymro,
       O hyn ymlaen rwy'n dechrau bod yn rhydd,
       Bod yn rhydd, bod yn rhydd
       Rwy wedi penderfynu bod yn rhydd!

12 Bryniau Bro Afallon

(Ar alaw 'Big Rock Candy Mountain')

a - fon,   does na   neb yn y   jêl,   O   mae by-wyd yn fêl,   ar

fry - niau   Bro   Af - all - on.

1   Ar fryniau Bro Afallon,
     Mae pawb yn byw yn hen;
     Does neb yn colli tymer
     Ac mae gwg 'run fath â gwên;
     O mae'n haf ar hyd y flwyddyn,
     Nadolig bob yn ail ddydd Iau;

     Cytgan: O bois rhaid mynd am dro
                 I'r nefolaidd fro
                 Lle mae'r merched o mor hardd,
                 I ddenu calon bardd,
                 Ar fryniau Bro Afallon.
                 O mae ieir bach yr ha'
                 A'r blodau yn bla
                 A chwrw yw dŵr pob afon,
                 Does 'na neb yn y jêl,
                 O mae bywyd yn fêl,
                 Ar fryniau Bro Afallon.

2   Ar fryniau Bro Afallon
     Mae pawb yn siarad Cymraeg
     'Llythyrdy' ar ddrws pob Swyddfa Bost
     Does dim sôn am 'Dafod y Ddraig',
     Mae'r enwade i gyd wedi uno
     A'r siope'n gwerthu popeth am ddim
     O! bois rhaid mynd am dro ...

3   Ar Fryniau Bro Afallon
     Mae pawb yn rhoi fôt i'r Blaid
     Y Toris yn colli'u 'deposit' o hyd
     A Llafur yn llyfu'r llaid,
     Mae'r Steddfod yn para am fisoedd
     A deg Noson Lawen bob nos
     O! bois rhaid mynd am dro ...

13 Cân Angharad

I gyfarch Angharad Tomos ar ennill y Fedal Ryddiaith yn Steddfod Bro Delyn 1991

Cytgan: Draw yng Ngwlad y Rwla yr ydym oll yn byw
Ambell un yn feidrol ac ambell un yn dduw
Yr ychydig yn wahanol a'r rhan fwyaf yr un fath
A phawb yn llawn uchelgais ond Mursen y gath.

1 Mae Ceridwen wedi 'madael â'i chastell yn Nymbar Ten
A Strempan yn y carchar am chwerthin ar ei phen
Y Dewin Doeth yn siglo fel pôl piniwn ar y glwyd
Tra cipiwyd job Ceridwen gan y Llipryn Llwyd.

2 Mae Rwdlan yn Gyfamodwr i gael sylw am wneud dim byd
A'r Dewin ym Mhlaid Cymru er mwyn dod ymlaen yn y byd
Mae'r Llipryn yn Cefn, Mali'n efengyl, a Rala'n actores ar daith
Ac mae Strempan yn y carchar am sticio 'Nghymdeithas yr Iaith.

3 Mae'r Dewin Dwl yn Gadeirydd y Bwrdd, o leia mae hynny'n ffaith
A Strempan yn y carchar am ofyn am Ddeddf Iaith.
Fe brynodd y Dewin y Castell, Llyn Llymru ar gyfer ei iot
Ac roedd ganddo gais mewn amlen wen am 'franchise' y blydi lot.

4 Mae Rwdlan yn gneud programs ar long S4C
A Strempan yn y carchar am ddôbio ar ei dec
Trawsblannwyd y Goeden Ryfeddol o Glos Soffia i Lanishen draw
Ac ar waetha'r ysbeidiau heulog, mae'n debyg iawn i law.

5 Mae Rala Rwdins yn OBE, Mali Meipen yn MP
A does neb ar ôl yng nghefen gwlad ond Mursen, Tŷ'n Twll a fi
Ond daeth Strempan mas o garchar ar alwad y corn gwlad
A ma' pobol Gwlad y Rwla yn sefyll ar eu traed.

14 Cân D.J.

Canwyd hon yn Abergwaun ar achlysur dathlu canmlwyddiant geni'r 'cawr o Rydcymerau.'

1 Peidwch meddwl bod D.J. yn sant a ddaeth o'r ne'
Roedd e'n ddyn o gig a gwaed fel chi a fi
Ac er nad oedd yn gawr, roedd ei ysbryd e mor fawr
Fel 'i fod e'n werth deng mil o rai fel ni.

Cytgan: Dyn y filltir sgwâr
A dyn Shir Gâr
Dyn i Gymru gyfan
Cyfarwydd Cymru gyfan
Dyn i Gymru gyfan oedd D.J.

2   Roedd straeon pert y pridd yn lliwio'i Gymru Rydd
       A'r 'Shirgar anobeithiol' yn gof i gyd
       Disgynnai'r perlau'n drwch wrth i Wncwl Jâms a'r Bwch
       Chwarae rhan yn nrama mabinogi'r byd.

3   Wrth ymestyn ambell waith difyrrach oedd y daith
       A straeon-celwy'-gole'n rhoi modd i fyw
       Llifai'r geirie fel y mêl wrth adrodd stori pot Ferndale
       A hanes dewis diaconied i Dŷ Dduw.

4   Fe wyddai hwn am âch y mishtir a'r forwyn fach
       Holl saint y 'Cart and Horses' a'r Tŷ Cwrdd
       Fe gerddodd fryn a phant i werthu'r Ddraig a Thrysorfa'r Plant
       A daeth yn ôl i Rydcymere cyn mynd i ffwrdd.

15 Cân Elwyn Roberts

I gofio Ysgrifennydd a Thrysorydd ffyddlon y Blaid. Cyfansoddwyd ar gyfer y Cyfarfod Coffa yn Llangefni

Cytgan: Gwelaist y nod
           Cerddaist ymlaen
           Cyrchaist y nod
           Fel canwaith o'r blaen
           Gwelaist y nod
           Fe'i gwelaist yn glir
           Cyrhaeddwn y nod
           Gyda'n gilydd cyn hir.

1   O fwynder Meirionnydd y daeth ar ei rawd
       I'r mudiad a garodd fel cyfaill a brawd
       I roi trefn ar yr anhrefn, i roi cyfeiriad i'r cam
       Â'i dawelwch dirodres i gynnal y fflam.

2   Dadleued a fynno, cyfarthed y cŵn
       Roedd rhywun yn gweithio ynghanol y sŵn
       Gwrandawed y byd ar slogan a ffrae
       Roedd rhywun yn gweithio a'r drws wedi cau.

3   Ei dâl oedd ei lafur, ei wobr ei chwys
       Fe lanwodd yr oriau heb holi eu pris
       Pan gawn ryddid i Gymru, fel y gwyddwn y cawn
       Bryd hynny cawn ddiolch i Elwyn yn iawn.

16 Cân i Helen

I gofio Helen Thomas, yr heddychwraig o Gastell Newydd Emlyn, a laddwyd gan un o geir yr heddlu ger Gwersyll Greenham ar Awst 2il, 1989 yn 23 oed.

1   Codi wnest dy ddwrn dros heddwch
    Dros ddyfodol y byd
    Codi wnest dy lais dros brydferthwch
    Dros ddyfodol y byd
    Plennaist dy flodyn yng ngardd dy chwaer
    Yng ngwersyll y gwir
    Cyfieithaist y goleuni, air am air
    I symud yr arfau, arfau ein hangau, o'r tir.

    Cytgan: Heddwch dy fywyd di
             Heddwch dy fyw
             A diolch a wnawn am ddangos i ni
             Ystyr cariad Duw.

2   Codi wnest dy bac dros wareiddiad
    A heriaist y drefn
    Bodiaist dy ffordd yn groes i'r sefydliad
    A'th gyfan ar dy gefn
    Fe aethost â Chymru i wersyll dy chwaer
    Ac agor ein llygaid i'r byd
    Cyflawnaist dy neges, yn weithred a gair
    I symud yr arfau, arfau ein hangau, o'r tir.

17 Cân i Lewis Valentine

Cyfansoddwyd ar gyfer Cyfarfod Coffa'r Parchedig Lewis Valentine yng nghapel y Tabernacl, Llandudno, Mai 3ydd 1986. 'Y Deyrnas' oedd enw papur Cymraeg capeli Llandudno a olygwyd gan Lewis Valentine.

1   Cadarn y troediaist yn Nhabernacl gras
    Heb hidio y gwawdiwr a'i sen
    Cryf oedd dy 'Deyrnas' a'i phennawd yn fras
    Dros Gymru, a'r Iesu yn ben
    Huawdl dy gerydd i'r taeog a'i ryw
    Heb ofni 'run bradwr a'i sen.

    Cytgan: Fe gest ti achos i suro
             Fe gest ti achos i droi
             Fe gest ti achos i golli'r ffydd
             Ond roedd gen ti ormod i'w roi.
             Fe sefaist yn gadarn ddiwyro
             Fel craig ynghanol y lli
             Dy fflam, dy neges, dy seren
             O boed yn olau i ni!

2   Talog y cerddaist i dir Penyberth
I gynnau yr anniffodd fflam
Heb blygu, wynebaist ti boeri y dorf
Yn eofn mor sicr dy gam
Fe gerddaist i'r carchar, fe gerddaist yn rhydd
Yn llawen ddi-wenwyn ddi-nam.

3   Clir oedd dy neges ym mhulpud dy Grist
A chlir yw dy neges o hyd
Clir oedd dy bregeth ar lwyfan y byd
A'r un yw dy neges o hyd
Pulpud oedd Cymru yn gyfan iti
A chlir yw dy bregeth o hyd.

18 Cân Mandela

I Nelson Mandela cyn ei ryddhau o garchar

1   Mae wynebau'r plant yn hen ar stryd Soweto
Wrth wylio rhag y milwyr rownd y tro
Mae hi'n anodd cysgu bellach yn y sianti
A sŵn bwledi'n atsain ar y to.

    Cytgan: Peidiwch disgwyl inni ddiolch
             Am ichi beintio ein cadwynau ni ag aur*
             Mae'r cadwynau'n dal yn dynn am ein traed
             Ond mi ganwn gân o obaith drwy ein dagrau
             A gwyddom y daw Mandela yn rhydd
             Mi ganwn gân o obaith drwy ein dagrau
             A gwyddom y daw Mandela yn rhydd.

2.   Aeth miloedd ohonom neithiwr draw i'r eglwys
I ganu ac i wrando neges Crist
Roedd dagrau'n llifo i lawr ar hyd ein gruddiau
Ond doedd yno neb yn wylo, neb yn drist.

3   Os cawn ni ein harestio gan y plismyn
Os cawn ni ein carcharu i gyd rhyw ddydd
Bydd Iesu'n dal yn geidwad a Gwaredwr
Ac mi ddown ni gydag ef o'n rhwymau'n rhydd.

Seiliwyd ar eiriau Winnie Mandela wrth gyfeirio at y ddadl y byddai gwaharddiadau economaidd yn taro'r bobol dduon—'We don't want you to paint our chains in gold'.

19 Cân Michael D. Jones

Cyfansoddwyd ar gyfer Cyfarfod Coffa yn yr Hen Gapel, Llanuwchllyn, lle bu Michael Jones yn weinidog

1   Fe welaist ti y cancr yn cychwyn yn y gwraidd,
    Rhybuddiaist y bugeiliaid i warchod rhag y blaidd,
    Dinoethaist frad y taeog a'r Sais-addolwyr trist,
    Dangosaist nad un meddal, diberfedd ydoedd Crist.

Cytgan: Cefaist weledigaeth, breuddwydiaist freuddwyd mawr,
          A gwelaist werin Cymru yn codi o'r llawr.

2   Fe welaist ti mai'r heniaith yw perl ein pobl ni,
    A cham â threfn dynoliaeth yw ei diarddel hi,
    Fflangellaist y Dic Shôn Dafydd am wadu iaith ei wlad,
    Dirmygaist y mân-bwysigion am sarnu dy dreftâd.

3   O ganol gormes creulon ar werin Cymru dlawd,
    Fe gyrchaist yr Afallon yn gartref i dy frawd,
    Gliried dy weledigaeth, gadarned oedd dy ffydd,
    Sefydlwyd ar dir estron y Gymru newydd rydd.

Cytgan: Cydiwn yn dy freuddwyd, a chofiwn dy neges di
          A chodwn y Gymru newydd ar ddaear ein Cymru ni.*

---

*Er na allaf gytuno â'r ddelfryd o sefydlu Gwladfa Gymreig ar dir cenedl arall, mae egwyddorion Michael D.Jones yn berthnasol iawn i Genedlaetholwyr Cymru ar ein tir ni.

20 Cân Porth y Nant

Cyflwynedig i'r Meddyg Carl Clowes* ac arloeswyr y Ganolfan Iaith Genedlaethol yn Nant Gwrtheyrn. Porth y Nant yw hen enw pentre'r chwarelwyr yn y Nant.

Cytgan: Daeth bywyd llawn yn ôl i Nant Gwrtheyrn
Mae sain adfywio'r iaith yn Nant Gwrtheyrn
Daeth cân a lleisiau plant yn ôl i Borth y Nant
Mae un ac un yn gant yn Nant Gwrtheyrn.

1 Bu'r chwarelwyr wrthi'n ddiwyd yn y Nant
Yn chwalu'r garreg ithfaen yn y Nant
I gyson sŵn y ffrwydro, di-flino fu y brwydro
A chreithiog oedd y dwylo yn y Nant.

2 Daeth taw ar gorn y chwarel uwch y Nant
O un i un fe gaewyd drysau'r Nant
Y llygaid yn llawn dagre wrth ganu'n iach i'r pentre
Dim ond adlais oedd y lleisie yn y Nant.

3 Bu'r ddrycin a'r dieithriaid yn y Nant
Yn chwalu ac yn malu pentre'r Nant.
Drysau, ffenestri gweigion yn edrych dros yr eigion
A phentre'r muriau moelion oedd Porth y Nant.

4 Daeth gŵr* a chanddo freuddwyd i lawr i'r Nant
A chynnau tân anniffodd yn y Nant.
Daeth tinc y cûn a'r morthwyl drachefn yn gwneud eu gorchwyl
A gobaith i gadw noswyl yn y Nant.

5 Daw pobl o Gymru gyfan i lawr i'r Nant
I gael adfer eu treftadaeth yn y Nant
Un pwrpas yn eu huno mewn ymdrech fawr ddi-flino
Mae iaith yn ailegino yn y Nant.

21 Cân Serch i Awyren Ryfel

1　Eheda yn isel f'anwylyd
　　I warchod 'rhen Walia wen,
　　Eheda yn isel f'anwylyd
　　Na hidia y cur yn fy mhen.
　　Eheda yn isel f'anwylyd,
　　Ond gwylia fast Nebo 'rhen chwaer—
　　Byddai'n resyn dy weld di yn dipia
　　Yn llanast o fa'ma i Gaer.

2   Eheda yn isel f'anwylyd
Dros bentra bach Penygroes,
Mae'n dda fod 'na rywun i warchod
Treftadaeth, diwylliant a moes,
Eheda yn isel f'anwylyd
A gyrra'r holl fuchod o'u co
Os digwydd i un fuwch erthylu
Be 'di hynny ond colli llo?

3   Eheda yn isel f'anwylyd
Mae dy sŵn yn cynhyrfu fy ngwaed
Yn ei yrru ar ras drwy 'ngwythiennau
A chynhesu bodiau fy nhraed.
Eheda yn isel f'anwylyd,
I gadw'r hen Brydain yn fawr,
Mae'n werth talu miliwn o bunnau
I dy gadw am hanner awr.

4   Eheda yn isel f'anwylyd
I dorri ar heddwch ein gwlad,
I'n hatgoffa fod rhyfel yn ymyl
A bod angen pob un yn y gad.
Eheda yn isel f'anwylyd
I ddychryn 'rhen 'Russians' o'u crwyn,
A'u gyrru ar chwâl ac ar wasgar
Fel y gyrri di'r defaid a'r ŵyn.

5   Eheda yn isel f'anwylyd
A brysia i ddod yn ôl,
Mae'n llonni fy nghalon i weled
Dy gysgod ar gaeau y ddôl.
Eheda yn isel f'anwylyd
Na hidia y cur yn fy mhen,
Eheda yn isel f'anwylyd
I warchod 'rhen Walia wen.

22 Cân 'Steddfod 79

Cân groeso i Eisteddfod Genedlaethol Caernarfon a'r Cylch, 1979

1   Dewch heibio i Lyn y Gadair ar eich taith,
    Cewch weld 'amlinell lom y moelni maith.'
    Ni fydd cwmwl ar Yr Wyddfa,
    Bydd heulwen a bydd hindda
    Yn eich aros pan ddewch yma ar eich taith.

2   Ewch draw i Ddinas Dinlle i sŵn y môr,
    Bydd yr adar yng nghoed Alun yn rhoi encôr,
    Ewch heibio i wal Glynllifon
    I weld gogoniant Arfon
    Yng ngwlad y Mabinogion ger y môr.

    Cytgan: Dewch draw i dre Caernarfon yn '79,
            Dewch draw i lan y Fenai, haul neu law,
            Bydd y croeso yma'n gynnes
            A'r Wyddfa fel brenhines,
            Canwn gân yn ernes, O dewch draw!

3   Bydd Ysgubor Goch yn dathlu dros yr ŵyl,
    A'r castell yntau'n gwegian yn yr hwyl.
    Bydd Seiont, Afon Gwyrfai
    Peris a hithau'r Fenai
    Yn dawnsio rhwng eu glannau dros yr ŵyl.

4   Bydd Bethel a Phenygroes yn cadw gŵyl,
    Nantlle a Chwm y Glo yn codi hwyl
    Llanberis a Llanllyfni,
    Deiniolen, Felinheli,
    Llanrug, Waunfawr, Pontllyfni yn yr ŵyl.

5   Daw'r Cymry i gyd i dramwy lawr Stryd Llyn,
    Bydd pob cilfach ar y maes wedi'i bacio'n dynn,
    Pob tafarn a phob gwesty
    Pob capel a phob festri
    Yn llawn o gân ac asbri, gyda hyn.

6   Os collwyd y pafiliwn mawr o'r dre
    Daeth un arall yma'n fuan yn ei le,
    Os costiodd o filiynau,
    Yn rhwydd fe ddwedwn innau
    Y bydd o'n werth pob dimau, pan ddaw i'r dre.

23 Cân 'Steddfod y Borth

Cân groeso i Eisteddfod Genedlaethol yr Urdd, Porthaethwy 1976

Cytgan: Croesi'r bont yn un haid,
Mynd ar droed os bydd raid
Deian, Loli a Taid
Yn un garfan ddi-baid
I Eisteddfod y Borth.

1   Aeth y gaeaf dros go,
Daeth Mehefin i'n bro
Mae pawb 'nawr yn sôn
Am fynd draw i Sir Fôn,
Cawn weld y ddau lew
Rhai tew heb ddim blew
Un ochr yma
A'r llall ochr drew.

2   Fe lenwir y ffyrdd
Gan 'Steddfodwyr yr Urdd,
Ac arwain pob lôn
I'r fam-ynys Môn.
Cawn adrodd a chân
Hyd yr oriau mân
Fe gawn hwyl, dawns a sbri
Môn, Menai a mi.

24 Cân Victor Jara

*Y bardd-ganwr a laddwyd gan filwyr y junta yn Stadium Santiago, prif ddinas Chile wedi di-orseddu'r
Arlywydd Allende trwy drais (gyda chymorth y CIA) ym 1973*

1   Yn Santiago yn saith-deg-tri
     Canodd ei gân drwy'r oriau du,
     Canodd ei gân yn stadiwm y trais,
     Heriodd y gynnau â'i gitâr a'i lais
     Yn Santiago yn saith-deg-tri.

2   Yn Santiago yn saith-deg-tri
     Canodd ei gân yn yr oriau du,
     Canodd am ormes ar weithiwr tlawd
     A'r llofrudd Ffasgaidd a laddodd ei frawd
     Yn Santiago yn saith-deg-tri.

3   Yn Santiago yn saith-deg-tri
     Canodd ei gân drwy'r oriau du,
     Torrwyd ei ddwylo i atal y gân
     Ond daliodd i ganu, a'i enaid ar dân,
     Yn Santiago yn saith-deg-tri.

4   Yn Santiago yn saith-deg-tri
     Gwelodd Victor Jara yr oriau du,
     Poenydiwyd ei gorff gan fwystfil o ddyn,
     Fe'i saethwyd am iddo garu ei bobol ei hun
     Yn Santiago yn saith-deg-tri.

5   Mae cân Victor Jara i'w chlywed o hyd
     Yn atsain yn uchel drwy wledydd y byd.
     Fe erys y Ffasgwyr, erys y trais
     Ond gwrando mae'r bobol am alwad ei lais
     Yn Santiago ein dyddiau ni.

25 Cân y Ddinas

Bachgen bach o'r wlad ar goll yng Nghaerdydd!

1   Mae'r nos yn ddu yn y ddinas
     A'r glaw yn tywallt i lawr,
     Y dyrfa yn gwau o'm cwmpas,
     Ac i'm blino daw unigrwydd mawr;

     Cytgan cyntaf: Ond waeth gen i ddim mo'r t'wyllwch,
                      Waeth gen i ddim mo'r glaw,
                      Waeth gen i ddim mo'r ddinas ddu,
                      Dim ond i mi gael cydio yn dy law.

2   Rwy'n cerdded ar hyd yr heolydd
     A'r palmant di-liw dan fy nhroed
     A chofiaf am lwybr fy nghartref
     A'r glaswellt ir dan y coed.

3   Mae'r traffig a'i ruthr didostur
     Yn wallgo ddiddiwedd ei hynt
     A chofiaf am afon fy nghartref
     A'i chân fel murmur y gwynt.

4   Bûm ganwaith yn cerdded y ddinas
     Fel deilen ar wyneb y lli
     Heb ddim ond fy hiraeth yn gwmni
     Ond heno rwyt ti gyda mi.

     Cytgan ola: A waeth gen i ddim mo'r t'wyllwch,
                   Waeth gen i ddim mo'r glaw,
                   Waeth gen i ddim mo'r ddinas ddu
                   Dim ond i mi gael cydio yn dy law.

26 Cân y Fam

Adeg Rhyfel gorffwyll ac ofer y Culfor, a fu o les i neb ond y masnachwyr arfau

1   Draw yn Arabia mae'r haul yn boeth
     Draw yn Arabia mae'r tywod yn noeth
     Draw yn Arabia mae'r olew yn ddu
     Draw yn Arabia mae fy machgen i.

2   Y bobol fawr bwysig sy'n siarad o hyd
     Am ryddid a rhyfel a dyfodol y byd
     Y bobol fawr bwysig sy'n sefyll yn gry
     Draw yn Arabia mae fy machgen i.

3   'Mae Saddam yn wallgo,' medd y llais o'r Tŷ Gwyn
     Rhaid sefyll dros ryddid ar adeg fel hyn
     'Rhaid ymladd dros ryddid,' o bobman yw'r gri
     Draw yn Arabia mae fy machgen i.

4   Bydd mamau Arabia yn wylo yn groch
     Wrth weld tywod eu gwlad gan y gwaed yn goch
     A'r fam o Gwm Rhondda'n uchel ei chri
     Ble o ble mae fy machgen i?

5   Draw yn Arabia mae'r haul yn boeth
     Draw yn Arabia mae'r tywod yn noeth
     Draw yn Arabia mae'r olew yn ddu
     Draw yn Arabia mae fy machgen i.

27 Cân y Glöwr

(Ar alaw 'Four Marys')
I'r miloedd o lowyr a daflwyd ar y clwt gan Lywodraethau Llafur a Thori y ganrif hon

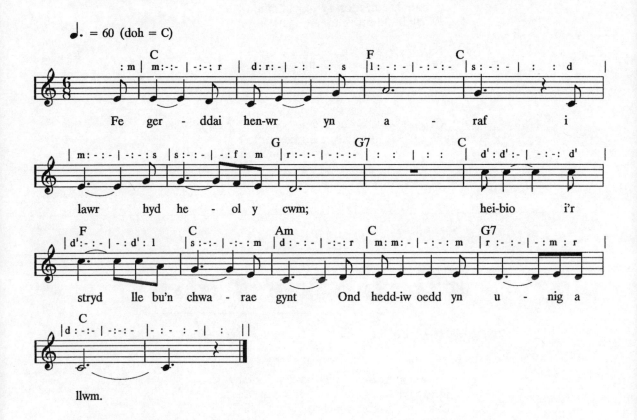

1 Fe gerddai henwr yn araf
   I lawr hyd heol y cwm;
   Heibio i'r stryd lle bu'n chwarae gynt
   Ond heddiw oedd yn unig a llwm.

2 Roedd creithiau'r glo ar ei dalcen
   A chyrn o'r pwll ar ei law
   Ac wrth iddo gerdded hyd lwybr y gwaith
   Fe glywai rhyw leisiau o draw.

3 Fe glywai leisiau y glowyr
   Wrth weithio yn nhwyllwch y ffâs
   Alun Tŷ Canol a'i denor mor fwyn
   A Tomos yn cyd-ganu'r bas.

4 Fe gofiai am hwyl yr hen ddyddie
   Pan oedd bywyd y cwm yn ei fri.
   Fe gofiai y capel a'r llyfrgell yn llawn
   Lle heddiw does ond dau neu dri.

5 A heno mae Tomos ac Alun
   Yn naear y fynwent ill dau
   A does dim ar ôl yn awr i'r hen ŵr
   Ond atgofion, a phwll wedi cau.

44

28 Cân y Gofod

♩ = 120 (doh = G)

O mi ga-rwn fynd am dro   i'r go - fod,   O mi ga-rwn fynd am dro   i'r

go - fod,   O mi ga-rwn fynd am dro   i'r go - fod   i

weld y   bo-bol bach   mewn di - llad   aur.

1   O mi garwn fynd am dro i'r gofod
    O mi garwn fynd am dro i'r gofod
    O mi garwn fynd am dro i'r gofod
    I weld y bobol bach mewn dillad aur.

2   O mi gârwn fynd am drip i'r lleuad (3)
    I neidio ugain llath i'r awyr fry.

3   O mi garwn fynd ar sgawt i Sadwrn (3)
    A gweled rhyfeddodau hardd y sêr.

4   O mi garwn fynd ar wib mewn llong ofod (3)
    A throedio'r llwybr llaethog wrth fy modd.

5   O mi garwn wisgo siwt gofodwr (3)
    A mynd am wibdaith hir i blith y sêr.

6   O mi garwn fynd am dro i'r gofod (3)
    Dim ond os cawn i ddod i Gymru'n ôl.

45

29 Cân y Medd

Geiriau T.Gwynn Jones
I gofio'r dyddiau melys gynt yng nghwmni Robat, Penri a'r criw

1 Yn y mynydd mae'r gerddinen
Yn y mynydd mae'r eithinen
Yng nghwpanau'r grug a hwythau
Haul ac awel dry yn ffrwythau
Awel iach, heulwen lon,
Heulwen lon ac awel iach
Gwelir rhinwedd haul ac awel
Yng nghwpanau'r blodau bach.

2 Prysur yna fydd yr hela
Pan ddaw'r gwenyn fil i fela
Awel haf a haul cynhaeaf
Mêl a fyddant cyn y gaeaf
Melyn fêl, melys fêl,
Melys fêl, melyn fêl.
Haul ac awel yn y blodau
Wele'n felyn felys fêl.

3 Gwedi'r haf a'r haul gynhaeaf
Yn yr Hendre hirnos gaeaf
Wrth y tân, yn sain y delyn
Melys fydd y meddlyn melyn
Melys fedd, melyn fedd
Melyn fedd, melys fedd
Haul ac awel, mêl y gwenyn
Wele'n felys, felyn fedd.

30 Cân y Pasg

Cyfansoddwyd ar gyfer 'Bwrw Mlaen' i ddysgwyr

1 Roedd yn eistedd ar gefn asyn
Wrth ddod i mewn i'r dref
A'r bobol oedd yn hapus
Wrth roi croeso iddo ef.

'Fe yw y Brenin, y Brenin yw ef
Fe yw Brenin y Nef'.

2 Beth amser wedi hynny
Roedd y bobol am ei waed
Fe'i daliwyd, ac fe'i clymwyd
Ei ddwylo a'i draed.

'Mae'n dweud mai ef yw'r Brenin, felly lladdwn ef
Lladdwn Frenin y Nef'.

3 Ar ben Bryn Calfaria
Ar ddau ddarn o bren
Hoelion drwy ei ddwylo
A'r drain am ei ben.

'Fe laddwyd y Brenin, dyna ddiwedd arno ef
Diwedd ar Frenin y Nef'.

4 Beth amser wedi hynny
Fe gododd o'r bedd
Roedd y bobol wedi methu
Rhoi diwedd arno ef.

'Hwn yw y Brenin, y Brenin yw ef
Hwn ydyw Brenin y Nef'.

31 Cân y 'Western Mail'

1   Pan fyddaf yn codi yn y bore
     A mynd ati i ferwi ŵy,
     Bwrw mewn i'r bara menyn
     A chydio yn dynn yn fy llwy;
     Bryd hynny caf wledda wrth fwyta
     Gyda brwdfrydedd a sêl
     Wrth ddarllen y gwirionedde
     Yng ngholofne y Western Mail

    Cytgan: O rwy'n darllen y Western Mail,
          Rwy'n darllen y Western Mail,
          Rwy'n Gymro goleuedig,
          Ac rwy'n darllen y Western Mail.

2   Mae rhai yn darllen y Beibl
     Ac eraill yn darllen y Koran,
     Rhai yn darllen Tafod y Ddraig
     Ac eraill yn darllen Rhodd Mam;
     Ond pan âf i groesi'r hen afon
     I wlad y llaeth a'r mêl,
     Mi fyddaf yn ddigon bodlon
     Os caf gopi bach o'r Western Mail.

3   Mae tîm cenedlaethol gan Gymru
     I chwarae rygbi ar y cae,
     Ac mae'n iawn i roi cweir i'r Saeson
     Am fod calon y Cymro fan lle mae;—
     Ond peidiwch â meddwl am funud
     Chwi genedlatholwyr y Bêl
     Fod gwahaniaeth rhwng Cymru a Lloegr,
     O 'Na! Na!' medd y Western Mail.

4   Mae rhai yn leicio 'chop suey' a reis
     Ac eraill yn dewis cyw iâr,
     Rhowch i eraill facwn ac ŵy
     Neu lond sosban o gafiâr,
     Mae rhai yn hoff o uwd a llymru
     Rhowch i eraill dost a mêl—
     Ond rhowch imi bob amser
     Werth whech o 'chips' mewn Western Mail.

5   Mae bois yr iaith yn creu helynt
     Ynghylch iaith eu tad a'u mam,
     Yn rhedeg fel fandals o gwmpas y wlad
     A chwyno'u bod i gyd yn cael cam;
     'O taflwch y diawled i'r carchar!
     Lluchiwch y diawled i'r jêl!
     Dyna yw'r unig ateb,'—
     Medd llythyrau neis y Western Mail.

6   Pan ddaw rhyddid i'r gwledydd bychain
     A phob gwlad yn chwifio'i baner ei hun,
     Pob gwlad yn gwybod beth yw ei lliw
     A'r cenhedloedd yn byw yn gytûn,
     Bryd hynny caiff Cymru hithau
     Ei rhyddid, doed a ddêl,
     A bydd llinell neu ddwy i gofnodi'r ffaith
     Mewn rhyw gornel fach o'r Western Mail.

    Cytgan: O! rwy'n darllen y Western Mail,
          Darllen y Western Mail,
          Diolch i drefn Rhagluniaeth
          'Mod i'n darllen y Western Mail!

Pleser o'r mwyaf yw cael cyhoeddi fod y gân hon bellach yn perthyn i'r oes a fu, a'r 'Western Mail' wedi gweld y goleuni!?

32 Cân yr Aborijini

Ar achlysur daucanmlwyddiant Awstralia'r dyn gwyn

1 Weli di'r wlad draw yn yr haul
  Lle mae digon o waith i'w gael?
  Yno'r anfonwyd y lladron i gyd
  Gan lysoedd Lloegr i ben draw'r byd
  Draw i'r wlad lle roedd yr Aborijini'n byw.

  Cytgan: Abo, Abo, Aborijini, Abo, Abo Aborijini
     Draw'n y wlad lle roedd yr Aborijini'n byw.

2 Doedd hwnnw ddim yn waraidd, doedd hwnnw ddim yn gall
  Doedd hwnnw dim yn gweithio o un pen diwrnod i'r llall
  Fe'i heliwyd fel anifail, fe'i saethwyd ran sbort
  Doedd coloni Prydain ddim iddo fe a'i siort.
  Ond honno oedd y wlad lle'r oedd yr Aborijini'n byw.

3 Sefydlwyd y wladfa yn Saesneg ei hiaith
  Sefydlwyd gwareiddiad ar wyneb y paith
  Sefydlwyd economi a chyfraith a threfn
  Dim angen edrych yn ôl drachefn
  Draw'n y wlad lle mae'r Aborijini'n byw.

4 Awn yno ar wyliau, awn yno i fyw
  Mae nhw'n wyn a chyfoethog, ac yn credu yn Nuw
  Ar draeth Bondai ym min yr hwyr
  Cawn glywed chwedlau ac ymgolli'n llwyr
  Yn hanes y wlad lle'r oedd yr Aborijini'n byw.

5 Os mentrwn rhyw ddiwrnod i berfedd y wlad
  Cawn weld disgynyddion rhai a gollodd eu stad
  Wynebau llonydd, llygaid syn
  Hiraeth am ddyddiau cyn dod y dyn gwyn—
  Cof am y wlad lle'r oedd eu hynafiaid yn byw.

6 Ac efallai bryd hynny y gwelwn yn glir
  Beth yw perthyn i bobol a pherthyn i dir
  Fe welwn ein hunain drwy'r wynebau du
  Daw hiraeth i'n calon am Gymru a fu
  Draw'n y wlad lle roedd ein hynafiaid yn byw.

  Cytgan: Abo, Abo, Aborijini, Abo, Abo, Aborijini,
     Onid Aborijini wyt ti a mi?

33 Cân yr Amgueddfa

Un o ganeuon y gyfres deledu 'Bwrw Mlaen' i ddysgwyr

1   Dewch i weld yr Amgueddfa
Dewch i Gymru i weld yr Amgueddfa
Dewch i Gymru i weld yr Amgueddfa
Dewch i Gymru am dro.

2   Cewch weld lle'r oedd pobol yn byw ers talwm
Cewch weld lle'r oedd pobol yn byw ers talwm
Cewch weld lle'r oedd pobol yn byw ers talwm
Dewch i Gymru am dro.

3   Cewch weld sut roedd pobol yn gweithio ers talwm
Cewch weld sut roedd pobol yn gweithio ers talwm
Cewch weld sut roedd pobol yn gweithio ers talwm
Dewch i Gymru am dro.

4   Cewch glywed yr iaith oedd yn cael ei siarad
Cewch glywed yr iaith oedd yn cael ei siarad
Cewch glywed yr iaith oedd yn cael ei siarad
Dewch i Gymru am dro.

5   Ond nid yw Cymru'n Amgueddfa eto
Nid yw Cymru'n Amgueddfa eto
Nid yw Cymru'n Amgueddfa eto
Ond lle i bobol i fyw.

Cytgan: Dewch i Gymru am dro
Dewch i Gymru am dro
Dewch i Gymru am dro
Dewch i Gymru am dro.

34 Cân yr Ysgol

Drwy niwl a glaw boed aea' neu boed

A   D   A   E   B7

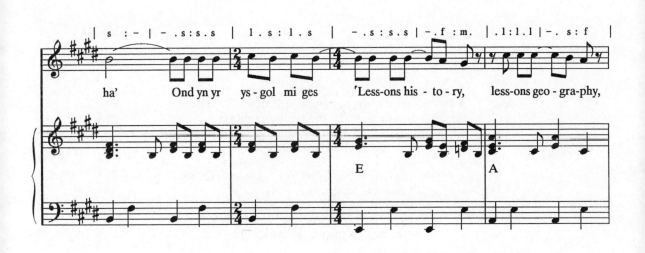

ha'   Ond yn yr ys - gol mi ges 'Less-ons his - to - ry,   less-ons geo - gra-phy,

E   A

less-ons Eng-lish'o hyd   ac o hyd   ac am-bell i 'less - on' yn 'Welsh'wha-re teg am mai

E   B7   E   A

1 Pan oeddwn i'n rhyw flwydd neu ddwy yn iau,
   A minnau'n fachgen bochgoch bach difai;
   Mi awn i'r ysgol fel pob bachgen bach da,
   Drwy niwl a glaw, boed aea neu boed ha'.

   Cytgan: Ond yn yr ysgol mi ges 'Lessons History,
            Lessons Geography,
            Lessons English' o hyd ac o hyd,
            Ac ambell i 'lesson' yn 'Welsh,' whare teg,
            Am mai Cymro bach oeddwn i.

2 Fe alwai Mam bob bore am saith o'r gloch
   A dweud, yn Gymraeg, 'Wel cwyd os wyt am dy gig moch'
   Ac ar ôl imi godi a llyncu'r bwyd i lawr,
   Yn Gymraeg y dymunai 'Nhad a Mam 'Hwyl fawr!'

3 A chyda'r nos mi awn am dro bach i'r coed,
   Ac yno y bûm i'n caru gynta 'rioed
   O dan y llwyni, rhois fy nghalon iddi hi,
   Ac yn Gymraeg y sibrydiais 'O rwy'n dy garu di!'

4 Ac ar y Sul, mynd i'r capel oedd fy mraint
   A darllen Beibl William Morgan yng nghwmni'r saint,
   Cymraeg siaradai yr Iesu am a wyddwn i
   A Chymraeg oedd iaith pob gweddi, siwr i chi.

35 Canwn yr un Caneuon

I bobol Estonia, Lithwania a Latfia, a ddangosodd y ffordd

Ar gyfer 'Bwrw Mlaen' i ddysgwyr

1 Mae gwledydd bach y byd yn galw arnom
Mae gwledydd bach y byd yn codi llaw
Mae gwledydd bach y byd yn galw arnom
Estonia, Lithwania, Latfia draw.

Cytgan: Canwn yr un caneuon
Siaradwn yr un iaith
Adroddwn yr un chwedleuon
Cerddwn yr un hen daith.

2 Mae ieithoedd bach y byd yn galw arnom
Mae ieithoedd bach y byd yn cyfarch gwell
Mae ieithoedd bach y byd yn galw arnom
Estonia, Lithwania, Latfia bell.

3 Mae pobol dros y byd yn galw arnom
Mae pobol dros y byd yn estyn llaw
Mae pobol dros y byd yn galw arnom
O Estonia, Lithwania, Latfia draw.

36 Caradog y Cawr

1 Mae ogof yng Nghwm-Rhyd-y-Rhosyn
Wrth droed y Bannau mawr,
A hon yw cartref Caradog
Caradog y cawr.

Cytgan: Caradog y cawr, sydd â'i wyneb bob amser yn wên
Y cawr mwya'n y byd sy'n chwerthin o hyd,
Caradog y cawr mawr clên.

2 Pan âf i am dro draw i'r Bannau
Rwy'n galw i ddweud 'Helo',
Ac yna yn cuddio fy nghlustie
Iddo fynte gael bloeddio 'HELO!'

3 Mi es ato rhyw ddiwrnod a gofyn
A hoffai o chwarae pêl-droed,
Fe giciodd y bêl yn reit ysgafn
Ac fe hedodd bum milltir i'r coed!

4 Os byddaf ar frys mawr rhyw adeg
Mi redaf at Ogof y Cawr,
A châf bas fel y gwynt ar ei ysgwydd
Rhyw deirllath neu bedair o'r llawr!

5 Mae pobun yng Nghwm-Rhyd-y.Rhosyn
Yn hapus a diogel eu byd,
Am fod gynnon ni gawr mor garedig
I'n helpu a'n gwarchod i gyd.

37 Cariad

Geiriau Traddodiadol

1   Blin yw caru yma ac acw;
    Blin bod heb y blinder hwnnw,
    Ond o'r blinderau blinaf blinder,
    Cur annifyr caru'n ofer.

2   Bob ychydig ac ychydig
    Y mae caru merch fonheddig.
    Bob ychydig ac yn araf
    Y daw merch fonheddig fwynaf.

3   Caru 'mhell a charu'n agos,
    Newid cariad bob pythefnos;
    Er hyn i gyd, ni all fy nghalon
    Lai na charu'r hen gariadon.

4   Llawn yw'r môr o swnd a chregyn,
    Llawn yw'r ŵy o wyn a melyn,
    Llawn yw'r coed o ddail a blodau,
    Llawn o gariad merch wyf innau.

5   Maent yn dwedyd y ffordd yma
    Nad oes dim mor oer â'r eira;
    Rhois ychydig yn fy mynwes,
    Clywn yr eira gwyn yn gynnes.

6   O mor gynnes mynwes meinwen,
    O mor fwyn yw'r llwyn meillionen,
    O mor felys yw'r cusanau.
    Gyda serch a mwynion eiriau.

Hefyd, y penillion i Gilmeri ar record 'Bod yn Rhydd'

38 Carlo

diw-edd   mae gy - da ni Brins   yng Ngwlad y Gân.

1   Mae gen i ffrind bach yn byw ym Mycingam Palàs
    A Charlo Winsor yw ei enw e;
    Tro dwetha yr es i i gnoco ar ddrws ei dŷ,
    Daeth ei fam i'r drws a medde hi wrtha i;

    Cytgan: O Carlo, Carlo, Carlo'n whare polo heddi, heddi,
            Carlo, Carlo, Carlo'n whare polo gyda dadi, dadi;
            Ymunwch yn y gân,
            Daeogion fawr a mân,
            O'r diwedd mae gyda ni Brins yng ngwlad y gân.

2   Fe gafodd e'i addysg yn Awstralia, do, a Sgotland
    Ac yna lan i Aberystwyth y daeth o,
    Colofn y diwylliant Cymraeg, cyfrannwr i Dafod y Ddraig,
    Aelod o'r Urdd, gwersyllwr ers cyn co!

3   Mae'i faners e'n berffeth, fe wedith e 'plis' a 'thenciw',
    Dyw e byth yn cico'i dad nac yn rhegi'i fam,
    Mae e wastad wedi cribo'i wallt, mae'i goleri fe wastad yn lân,
    Dyw e byth yn pigo'i drwyn nac yn poeri i'r tân!

4   Bob wythnos mae e'n darllen y Cymro a'r Herald,
    Mae e'n darllen Dafydd ap Gwilym yn ei wely bob nos,
    Mae dyfodol y wlad a'r iaith yn agos at 'i galon fach e
    A ma nhw'n dweud 'i fod e'n perthyn i'r FWA!

39 Cerdd

(sy'n disgwyl am alaw)

Mae'n anodd dychmygu un o blant y Swdan
Yn sgriblo soned â'i fysedd bach gwan.

Ac mae'n anodd credu bod yn Soweto bell
Neb yn ymlafnio am odl mewn cell.

Na neb yng Nghampochea yn cael boddhad
Wrth lunio telyneg i degwch ei wlad.

A minnau wedi arfer synio am fardd
Fel breuddwydiwr syber yn myfyrio'n ei ardd,

Neu feudwy llwydaidd yn unigrwydd ei gell
Yn gweu cynganeddion, a'i feddwl ymhell,

Gan ennill cadair a choron a grant
Am blesio beirniad a tharo tant.

Cawn hwyl yn y Talwrn a'r Babell Lên
Wrth gosi'n gilydd a chodi gwên,

A sobri ennyd pan ddaw'r Awen ar dro
I gyffroi'r dychymyg ac i brocio'r co.

(Ar adegau felly cawn gip ar y Gwir
Sy'n rhagorach na rheswm, yn gadarnach na thir.)

Ond lludw yw'r cyfan wrth ymyl y gân
A anwyd o ormes ac a burwyd mewn tân:

Cân rhyddid y caethion, cân gobaith y tlawd
Hwiangerdd y mamau, cân cyfaill a brawd;

Barddoniaeth y bobloedd yn nannedd y trais
Sy'n herio'u tynged â llawenydd eu llais.

Barddoniaeth gwerinoedd o'r pedwar ban
Cerddi Campochea a Chymru, Soweto a Swdan.

40 Cerddwn Ymlaen

Cyfansoddwyd ar gyfer y daith fawr gynta gydag Ar Log ym 1982

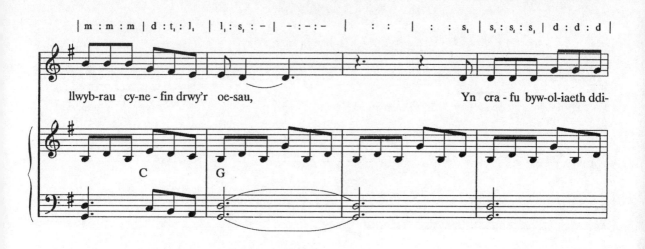

llwyb-rau cy-ne - fin drwy'r oe-sau,   Yn cra - fu byw-ol-iaeth ddi-

-gy - sur o gae-nen o bridd,   Yn gwar-chod ei fy-wyd wrth

war-chod y noeth-ly-mun er-wau———————,   wrth gan-lyn yr a - rad a

di - lyn yr og ar y ffridd————————————. Dring-odd y creig-iau a

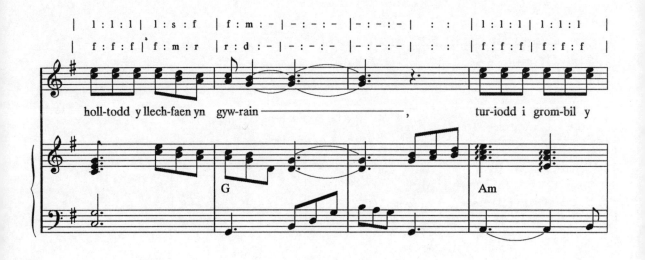

holl-todd y llech-faen yn gyw-rain————————————, tur-iodd i grom-bil y

ddae-ar i geib - io'r glo————————————, gwnaeth gy-foeth i e - raill a

62

gwe-lodd gy-feill-ion yn ge-lain———————, a chy-foeth hen ffydd a hen

eir-iau oedd ei gy-foeth o————————, Ond cer - ddwn ym-

- laen, cer-ddwn drwy ddŵr——— a thân, cer-ddwn â ffydd——— yn ein

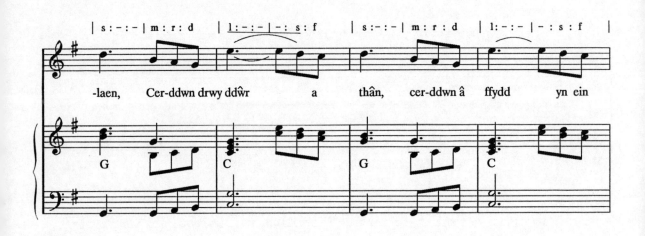

Bu ——— Cer-ddwn ym - laen.

1　Bu'r Cymro yn cerdded y llwybrau cynefin drwy'r oesau,
　　Yn crafu bywoliaeth ddigysur o gaenen o bridd,
　　Yn gwarchod ei fywyd wrth warchod y noethlymun erwau,
　　Wrth ganlyn yr arad a dilyn yr og ar y ffridd,
　　Dringodd y creigiau a holltodd y llechfaen yn gywrain
　　Turiodd i grombil y ddaear i geibio'r glo,
　　Gwnaeth gyfoeth i eraill, a gwelodd gyfeillion yn gelain
　　A chyfoeth hen ffydd a hen eiriau oedd ei gyfoeth o.

　　　Cytgan: Ond cerddwn ymlaen
　　　　　　　Cerddwn drwy ddŵr a thân
　　　　　　　Cerddwn a ffydd yn ein cân
　　　　　　　Ymlaen—cerddwn ymlaen.

　　　　　(Ailadrodd)

2　Bu farw Llywelyn, Llyw Olaf y Cymry yng Nghilmeri
　　Saith canrif yn ôl ar yr eira diferodd ei waed.
　　Ar bicell fe gariwyd ei ben ar hyd heolydd Llundain
　　A'r dorf yn crochlefain i ddathlu'r fuddugoliaeth a gaed.
　　Saith canrif o ormes caethiwed a gafwyd ers hynny
　　Saith canrif o frwydro a diodde dan gyfraith y Sais
　　Ond er dichell pob bradwr a chynllwyn pob taeog a chachgi
　　Mae'r Cymry ar gerdded, a'r bobol yn codi eu llais.

　　　Cytgan: A cherddwn ymlaen
　　　　　　　Cerddwn drwy ddŵr a thân
　　　　　　　Cerddwn a ffydd yn ein cân
　　　　　　　Ymlaen—cerddwn ymlaen!

　　　　　(Ailadrodd)

41 Cewri'r Crysau Cochion

Cyfansoddwyd pan oedd tîm rygbi Cymru'n ennill, ers talwm!

Cytgan: Mae cewri'r crysau cochion ar y blaen
Mae cewri'r crysau cochion ar y blaen
Waeth pwy ddaw i'n herbyn
Waeth beth yw sgôr y gelyn
Bydd cewri'r crysau cochion ar y blaen.

1 Daw'r bois i lawr o'r Cymoedd
O'r gweundir a'r mynyddoedd
O ffermydd y dyffrynnoedd yn un haid
O'r Gorllewin ac o'r Gogledd
O Bowys deg a Gwynedd
Gan sôn am gampau llynedd yn ddi-baid.

2 Fe welir Cymru'n uno
A chenedl yn dihuno
A phawb sydd am fod yno ar y maes
Y coch a'r gwyn ym mhobman
Y dreigiau yn cwhwfan
A'r Cymry oll yn gyfan ar y maes.

3 Cawn syllu ar y dewrion
Yn trin y belen hirgron
A gweu eu cynganeddion ar y maes
Ni allwn ond rhyfeddu
A chanu a gorfoleddu
Wrth gael ein cyfareddu gan y bois.

4 O, na bai Cymru y dyfodol
Yn stadiwm genedlaethol
A phawb yn codi'n unol fel un gŵr
I godi'r ddraig yn uchel
A'r iaith yn cael ei harddel
A bois y bêl yn filwyr i Glyndŵr!

42 Ciosg Talysarn

Cyflwynedig i Moses Edwards a'i ddiweddar briod, Bro Silyn, Talysarn, a ddaliodd yr heddlu wrthi'n gosod offer clustfeinio yn y ciosg teleffon lleol . . .

1   Daeth ffôn wrth Ronald Reagan ym mis Ionawr wyth deg dau
    'Tyn dy fys mas Magi, a chwyd o dy wely'n glau!
    'Deffra'r hen ddiogyn na Denis sy'n cysgu ar y soffa'n y cefn,
    'A galw benaethiaid yr heddlu ynghyd i gael Cyfraith a Threfn!'

2   Roedd y CIA mewn panics, a galwyd M15 i'r gad
    I helpu plismyn bach Gwalia i restio gelynion ein gwlad,
    Aeth y sgwad-geir i bob twll a chornel, o Gwmsgwt i Lanfair-y-garn,
    A chanolwyd yr holl opyresion ar giosg cyhoeddus Talysarn.

    Cytgan: Ciosg Talysarn, Ciosg Talysarn,
             Mae'r heddlu cudd wedi parcio'u car ger Ciosg Talysarn.

3   Mae cyflog yr heddlu 'di codi i ddenu'r goreuon i'r rancs,
    Fel y gallan nhw restio lladron, actorion, Welsh Nash a chrancs,
    Daeth hufen y rhain at ei gilydd, a chafodd pob un ddweud ei farn,
    A phenderfynwyd consentretio'r offensif ar giosg ym mhentre Talysarn.

    Cytgan: Ciosg Talysarn, Ciosg Talysarn,
             Mae'r heddlu cudd wedi parcio'u car ger Ciosg Talysarn.

4   Os oes gynnoch chi fater go bwysig i'w ffonio'n gyfrinachol i'r wraig,
    Neu fusnes tyngedfennol i'w ffonio yn Gymraeg,
    Os nad ydych am rannu'ch syniade nac am i'r byd gael gwybod eich barn,
    Wel cymerwch gyngor caredig, a chadwch yn glir o Dalysarn!

    Cytgan: Ciosg Talysarn, Ciosg Talysarn,
             Mae'r heddlu cudd yn hambygio pawb yng Nghiosg Talysarn.

43 Clyw fy Nghri

(Ar alaw 'Tramp, tramp, tramp the boys are marching')

♩ = 112 (doh = A)

Wrth im eis - tedd yn fy nghell cof - iaf am f'an - wy - lyd wen

ac am wyn - fyd ei chu - sa - nau gy - da'r hwyr

llifa'r da - grau lawr fy ngrudd

er i m gei - sio bod yn ddewr ac mae

A7   D   A

hi - raeth bron â'm lle-thu i yn llwyr.

D   E7   A

Clyw! o clyw fy nghri f'an - wy - lyd,

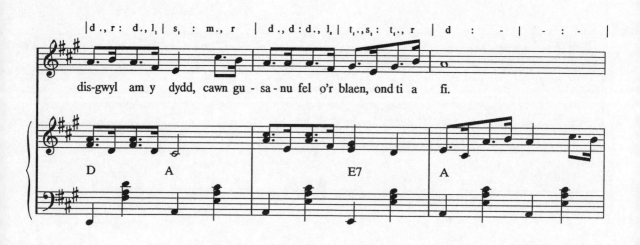

1 Wrth im eistedd yn fy nghell, cofiaf am f'anwylyd wen
  Ac am wynfyd ei chusanau gyda'r hwyr,
  Llifa'r dagrau lawr fy ngrudd er im geisio bod yn ddewr
  Ac mae hiraeth bron â'm llethu i yn llwyr.

  Cytgan: Clyw! O clyw fy nghri f'anwylyd,
           Cofia fyth amdanaf fi,
           Cyn bo hir cawn fynd yn rhydd,
           O rwy'n disgwyl am y dydd,
           Cawn gusanu fel o'r blaen, ond ti a fi.

2 Roedd dy wallt 'run lliw â'r aur, a'th wefusau fel y rhos,
  Roedd dy groen fel plu yr eira ar y bryn,
  Cofiaf liw dy lygaid hoff wrth it edrych arnaf fi,
  O! mor unig ydyw hebot erbyn hyn.

3 Cofiaf droedio llwybrau'r ffridd yn dy gwmni nos a dydd,
  Cofiaf blethu'r gwyllt rosynnau yn dy wallt,
  Ond mae'r cyfan wedi mynd, does dim ar ôl ond muriau'r gell,
  Wrth im gofio, rwyf yn wylo dagrau hallt.

44 Creadur Bach o Grwydryn

(Addasiad o 'The Happy Wayfarer')

1 Rhyw greadur bach o grwydryn wyf,
  Yn crwydro ffyrdd y wlad,
  A thlodi a'm gorfododd i
  I gael fy mwyd yn rhad.
  Ymhob math o dywydd,
  Boed hindda neu boed law,
  Rhyw greadur bach o grwydryn wyf
  Yn troedio yma a thraw.

  Cytgan: Mae gennyf gant o ffrindiau
           A chariadon wrth y fil;
           Fel pob creadur meidrol
           Methaf gadw'r llwybr cul,
           Weithiau rwyf yn sobor,
           Fel rheol rwyf yn chwil.
           Rhyw greadur bach o grwydryn wyf
           Heb nabod neb o'm hil.

2 Rwy'n crwydro byd a betws
  A chanaf ar fy nhaith,
  Fy nillad sydd yn garpiog
  A'm gwely sydd yn llaith,
  Y nefoedd yw fy nenfwd,
  A'r ddaear yw fy llawr,
  Ond os mai gwag yw'r boced fach
  Rwy'n mwynhau pob munud awr.

3 Y defaid yw fy ffrindiau
  Sy'n pori ar y ffridd,
  A'r adar yw 'nghariadon,
  Maen nhw fel fi yn rhydd.
  Rwy'n molchi yn yr afon,
  A chysgu dan y llwyn,
  A phan rwy'n unig, fe âf i
  I sgwrsio gyda'r brwyn.

45 Croeso Chwedeg Nain

Canwyd hon gynta yn Noson Lawen fythgofiadwy Steddfod yr Urdd Aberystwyth, 1969,
a hanner y gynulleidfa fawr wrth eu bodd!

1   Mae pawb wedi meddwi,
    Mae taid ar y sbri,
    Mae cath drws nesa
    Ar ôl cath ni
    Mae llun y Duke of Norfolk
    Uwch ben y lle tân,
    A mam tu ôl i'r piano
    Yn canu 'Calon Lân'.

    Cytgan: Croeso Chwedeg Nain,
          Croeso Chwedeg Nain
          Croeso Chwedeg Nain
          Mae nain yn naw deg
          Yn dweud ei bod yn chwe deg,
          A dannedd gosod taid
          Ym myg y Prins.

2   Rhaid cael te-parti
    A charnifal i'r plant
    A Dewi ni wedi'i wisgo
    Lan fel Dewi Sant,
    Balŵns ym mhobman
    A sŵn fel ffair,
    A Joni wedi cwmpo
    Mewn cariad â Stella Mair.

3   Pasiant, mabolgampau,
    Baneri ym mhob stryd,
    A wedi bwyta gormod
    Mae Wili ar 'i hyd,
    Twmpath dawns nos fory
    A 'Jymbl Sale' nos Iau,
    A Joni bach a'i gariad
    Mas bob nos tan ddau.

4   Dewyrth yn y dafarn
    Yn yfed drwy y nos,
    A Dadi wedi peintio
    Iwnion Jac ar gât y clôs,
    Fe gollodd Mari'i chalon
    I fab i ddyn y llâth,
    A phan ofynnodd hwnnw iddi
    Fynd 'da fe, mi ath!

5   Cymanfa fawr y pentre
    Sy'n rhan o'r hwyl a'r sbri,
    A phawb o'r capel nesa
    Yn dod i'n capel ni,
    Daeth modryb o America
    A Modryb o Japan
    I ganu 'Haleliwia'
    I frawd bach Princess Anne.

6   Mae'r fuwch yn y beudy
    Yn brefu am y llo,
    A does dim angen gofyn
    Beth fydd ei enw o
    Ond mae'r hwch fawr gefn-ddu
    Yn gwrthod cael moch bach,
    Am ei bod hi'n gwrthwynebu
    Cymryd rhan yn y strâch!

7   Ffenestri wedi'u peintio
    Yn goch a gwyn a glas,
    A llun y Cwîn o'r cwtsh-dan-stâr
    Wedi cael dod mas,
    Llun Lloyd George yn y pasej,
    A'r Diwc ar yr hen focs te,
    Ond mae'r babi wedi stico 'chewing gum'
    Yn groes i'w lygad dde!

8   Mae Mam wedi dysgu'r plant bach drwg
    Sy wedi mynd oddi ar y rêls,
    I ganu mewn 'falsetto'—
    'God Bless the Prince of Wales',
    Mae'r ffys wedi hala Wili'n od—
    Mae e'n siarad efo fe'i hun,
    A Matilda yn y bathrwm
    Yn dysgu 'God Save the Queen'.

46 Croeso Dyffryn Lliw

Cân Eisteddfod Genedlaethol 1980

1   Dewch i weld gogoniannau Brynaman
    Pont Lliw a Gorseinon, Tre Gŵyr,
    Cewch frecwast ym Mhontarddulais
    A gorffwys yng Nghlydach fin hwyr.

    Cytgan: Dyffryn Lliw, Dyffryn Lliw
             Mae croeso yn Nyffryn Lliw
             Mae'n estyn i chwithe ar drothwy'r wythdege
             Ei chroeso i 'Steddfod Lliw.

2   Cewch gerdded dros erwau Cas Llwchwr
    A thrwy yr Allt Wen ar eich tro,
    Cewch ddisgled o de lawr yn Nyfnant
    A seibiant yn Rhyd-y-Fro.
    Bydd Craig-Cefn-Parc yma'n galw
    A Chwmllynfell yn cymell i'r ŵyl,
    Waunarlwydd yn agor ei drysau,
    Pontardawe yn eilio yr hwyl.

3   Awn heibio i Rhiwfawr a Chilmaengwyn,
    Cwm Gors a Garn-swllt ar ein taith,
    Cawn wilia ar Wauncaegurwen
    Cyn symud ymlaen i Dai'r Gwaith,
    Cawn straeon o Nant-y-Gaseg,
    A chwrdd â bois ffein Pentre-fach
    Cawn chwerthin yn Ystalyfera,
    I Felindre yr awn gan bwyll bach.

Dafydd Iwan ac Ar Log

Yr ymgeisydd seneddol parchus,
Môn, 1974

. . . ond mae'n brafiach mewn hen
siwmper!

47 Cwm Ffynnon Ddu

(Cân Wyddelig gan Kickharn, Walton, Kearney, Stanley)
Recordiwyd gan Ar Log

1 Dychwelaf o hyd bob bore i'r traeth
   Lle mae'r tonnau a'r tywod yn cwrdd,
   A phan fo'r criw yn llawn hwyl
   A'r gwmnïaeth yn ffraeth
   Mae fy nghalon ymhell bell i ffwrdd,

   Mae yn hedfan yn rhydd
   Liw nos neu liw dydd
   I loches y dyddiau a fu,
   Lle bûm yn torri gair â'r ferch â'r tresi aur
   Yn y tyddyn ger Cwm Ffynnon Ddu.

2 Nid rhosyn ei grudd a'i gwallt fel yr aur,
   Na'i llygaid lliw eigion y lli,
   Nid grisial ei llais
   Na'i geiriau mor daer
   Wrth orfod ffarwelio â mi,

   Ond heulwen ei gwên
   Oedd mor ifanc, mor hen,
   Mor olau â phob gwawr a fu,
   A gynheuodd y tân, a ddeffrodd y gân
   Yn y tyddyn ger Cwm Ffynnon Ddu.

3 O mae'r rhod yn dal i droi ac mae'r dyddiau'n dal i ffoi,
   Ac rwyf innau'n dal i gerdded hyd y traeth,
   Âf yn ôl at y criw
   Lle mae'r drws heb ei gloi,
   Lle mae'r canu a'r cwmni yn ffraeth.

   Ond daw hiraeth am y wên
   Oedd mor ifanc, mor hen,
   Mor olau â phob gwawr a fu,
   Rhown y byd am dorri gair â'r ferch â'r tresi aur
   A gerais ger Cwm Ffynnon Ddu.

48 Cwyngan y Sais

I'r gŵr a gollodd Ymerodraeth...

1   Mi es i draw i Affrica, sy'n debyg iawn i sw
    Ond doedd y blacs bach ddim yn leicio fy mod i wedi'u ffeindio nhw
    Ar ôl imi ddysgu nhw i siarad, a thipyn o gyfraith a threfn
    Fe ddath rhyw rebels heibio a'm saethu yn fy nghefn.

    Cytgan: Does neb yn ffrind i mi, does neb yn ffrind i mi
            Er cymaint a wnes i dros bobol y byd, does neb yn ffrind i mi.

2   Mi es i draw i'r India bell, sy'n ddim ond twll o le
    Ac mi roies i gyflog i'r tacle am bigo dail y te
    Mi dries eu troi nhw'n Gristnogion, a'u dysgu sut oedd rhedeg eu gwlad
    Ond mi ges i fy 'marching orders' gan ryw racsyn heb ddim byd am ei drâd.

3   Mi es i draw i'r Merica i gael gwared o'r Indiaid Coch
    Eu meddwi nhw ar whisgi a'u sbaddu nhw fel moch
    Ond ar ôl sefydlu gwareiddiad fe droiodd fy ffrindie'n gas
    A mynnu bod wrth eu hunain, a 'nghicio inne mas.

4   Mi es i i'r Iwerddon lle'r o'n nhw'n byw ar datws a stowt
    Ac mi dries i neud fy ngore i wareiddio pob Celt a phob lowt
    Ond pan o'n i'n ymladd y Kaiser mewn cariad, gobaith a ffydd
    Fe gododd y twpsod gwallgo a mynnu bod yn rhydd.

5   Mi es i draw i Gymru fach i gael gwared o'r Gymraeg
    Mi rois i bren am wddf pob plentyn, a rhoi tro yng ngwddw'r ddraig
    Mi gaeais i bob pwll a chwarel a throi'r ysgolion yn Saesneg i gyd
    Fe brynes i Lloyd George a Kinnock, ond mae'r Cymry'n dal i 'ngwrthod o hyd.

6   Mi es i India'r Gorllewin i'w helpu i wneud ceiniog neu ddwy
    Ac i ddysgu'r holl gaethweision be oedd be a phwy oedd pwy
    Mi ddysges i nhw i chware criced gyda charreg a darn o bren
    A nawr ma'n nhw'n ddigon haerllug i ddod i Lords i neud sbort am fy mhen.

7   Mi es i'r Farchnad Gyffredin, ar ôl i De Gaulle fynd i'w fedd
    I gnocio bach o sens i'w penne, a'u dysgu i fyw mewn hedd
    Ond fe ballon nhw â gwrando, a dyw hi ddim yn syndod yn y byd
    Achos 'dyn nhw ddim yn deall Saesneg, a fforiners yw'r diawled i gyd!

8   Heblaw am ynysoedd y Falklands, dim ond Gibraltar a Hong Kong oedd ar ôl
    Concord a Princess Diana, a phedwar miliwn ar y dôl
    Ond mi roies i Hong Kong i Tsheina am eu bod nhw'n bobol fach neis
    A beth bynnag, don i'm isie dadle am fod Tsheina'n ormod o seis.

49 Chwarae â 'Nghalon

1 Pan oeddwn i rhyw fore braf
Yn cerdded yn y dre,
Digwyddais gwrdd â merch fach ddel
Y dlysaf dan y ne,
Fe gurai 'nghalon fach yn gynt
Wrth edrych arni hi,
A gofyn wnes yn fyr fy ngwynt
'A ddoi di efo mi?'

Cytgan: Roedd ganddi wallt 'run lliw â'r eboni
A'i chroen yn ail i ewyn y lli
Ond O! wyddwn i ddim,
Na, wyddwn i ddim,
Mai chwarae â 'nghalon roedd hi.

2 Cerdded wnaethom lawr y stryd
A'm braich amdani'n dynn,
Yr oedd yr haul yn gwenu'n braf
A'r byd i gyd yn wyn.
Ond pan geisiais am un gusan fach
Edrychodd arna i'n syn,
A dweud, 'Efalle mod i'n ddel,
Ond does dim galw am beth fel hyn.'

50 Daeth y Dyn

Cân i Gwynfor Evans

1 Draw yn nhre'r Barri gwrandawai y llanc
Ar alwad y llong yn y bae
Fel galwad am help o ganol y niwl
A'i chri yn llawn tristwch a gwae
Fe welodd y tlodi a'r ifanc di-waith
Yn martsio i ryfel a'r bedd
Dewisodd i sefyll dros urddas a gwaith
Gwneud sychau o lafnau y cledd.

Cytgan: Y gŵr a ddaeth i arwain
A'i freuddwyd mor glir
Do, daeth yr awr, daeth y dyn!

2 Daeth heniaith y Cymry i'w fywyd yn ôl
A'i hanes yn fwrlwm o fyw
Gwrthododd ymuno â rhengoedd y gad
Yn enw ei Gymru a'i Dduw
Dychwelodd at wreiddiau a gwerin y wlad
A chrwydrodd ei herwau'n ddi-baid
Yn taenu ei neges, yn cynnau y fflam
Dros ei genedl, ei bobl a'i Blaid.

3 Yn unig ar Gyngor, bu'n dioddef y gwawd
A'i alw'n beryglus a ffôl
Fe gymrodd y cyfan heb suro'r un iot
Heb chwerwi na tharo yn ôl
Bu'n crwydro bro Meirion â'i neges o ffydd
Dros ryddid a thegwch i'w wlad
Ei wrthod a gafodd, a'i wrthod drachefn
Ond ni phlygodd, ni chiliodd o'r gad.

4 Fe welodd rai'n cilio, fe welodd y trai
Ond ni chollodd, ni phylodd ei ffydd
Ac yna 'Nghaerfyrddin yn chwe deg a chwech
Daeth ei awr, ac enillodd y dydd!
Daeth hyder o'r newydd i'w genedl hen
Daeth ieuenctid i'r adwy yn llu
Breuddwyd y proffwyd a ddaethai yn fyw
A daeth ffrwyth wedi'r llafur a fu.

5 Yn unigrwydd San Steffan bu'n ddiwyd ddi-ball
Yn dadlau dros achos yr iaith
Dros addysg a'r sianel, dros gymuned a bro
Dros hawl i gartrefi a gwaith
Daeth gorfoledd a llwyddiant â siom yn ei sgil
Ond erys ei neges yn glir
Dros ryddid a heddwch, dros urddas ein gwlad
Dros ddyfodol ein pobol a'n tir.

51 Dail y Teim

Addasiad o 'Bunch o' Thyme'

Mae traddodiad hen yn cysylltu'r teim â morwyndod merch; arferai merch ifanc wisgo sbrigyn o deim i ddangos ei bod yn dal yn ddiwair . . .

1   Gwrandewch chwi ferched teg o bryd
    Ym mlodau eich ieuenctid hardd,
    O clywch eiriau 'nghân, boed eich dyddiau i gyd yn lân
    Rhag colli dail y teim o'ch gardd.

2   Mae dail y teim yn drysor drud
    Mae dail y teim yn werth y byd,
    Eu llawenydd sy mor chwerw, eu tristwch fel y mêl
    Rhaid gwarchod dail y teim o hyd.

3   Mi gofiaf ferch a thusw teim
    Nad oedd am wywo tra fai byw,
    Ond daeth morwr ifanc heibio, gan addo bod yn driw,
    A dwyn a wnaeth y teim am byth.

4   Fe roddodd iddi rosyn gwyn
    Nad oedd am wywo tra fai byw,
    I gofio am y morwr addawodd fod yn driw
    A ddaeth i ddwyn y teim am byth.

5   Ond gwywo wnaeth y rhosyn gwyn
    A'r rhos a wywodd ar ei gwedd;
    A phan ddaeth y morwr adre, fe welodd drwy ei ddagre
    Y teim yn tyfu ar ei bedd.

52 Dal i Gredu

('My Way')

Cân sy'n dechrau fel tipyn o hwyl, ond sy'n troi'n destament o ffydd erbyn y diwedd. Cyfansoddwyd ar gyfer 'Cyfeillion Chwarter Canrif' yng Nghorwen, 1988

1   Mae Cymru yn y baw ac ar bob llaw mae c'lonnau'n torri
    Mae pawb yn cael y Sun, a dyn drws nesa'n fotio Tori
    Mae'r Faner yn saith deg pump, ac Elwyn Jones yn dal yn ifanc
    Er hyn, er gwaethaf hyn, rwy'n dal i gredu.

2   Mae'r capel bach yn wag, a sôn bod Duw ar ochor Magi
    Rwy'n disgwyl siec gan S4C a'r iaith Gymraeg yn mynd i'w chrogi
    Rhaid cofio hala bant y cais am grant sydd yn fy noddi
    Er hyn, er gwaethaf hyn, rwy'n dal i gredu.

Cytgan: Mae'n 'hanner nos' ers amser maith
         Does neb yn nes at ben y daith
         Mae ffrindie ddoe yn troi yn gas
         A Chymru i gyd yn cwympo mas
         I'r diawl â hyn, daw haul ar fryn, rwy'n dal i gredu!

3   O do, mi wylais dro, a chredu bod y byd ar ddarfod
    Mewn mwd a baw yn saith deg naw, yn haeddu dim a gofyn cardod
    Ond thâl hi ddim fel hyn, crafangau hon sy'n dal i dynnu
    Oherwydd hyn, mae du yn wyn, rwy'n dal i gredu.

Cytgan: Ac felly'r awn, a llawenhawn!
         Hon yw'r unig wlad a gawn
         Dyfodol hon sy'n dy ddwylo di
         Ac ni all dim ein rhwystro ni,
         Mae'n ganol dydd, daw Cymru'n rhydd!
         Rwy'n dal i gredu!

53 Daw, fe Ddaw yr Awr

Cyfansoddwyd ar gyfer Ysgol Haf y Blaid yn Nolgellau ers talwm...

1   Wyt ti'n cofio'r ysgol fomio
    A losgwyd gan dri gŵr?
    Y tân a daniwyd yno
    Sy'n dal ynghyn rwy'n siwr,
    Llosgwyd ysgol,
    Dân anfarwol—
    Daw, fe ddaw yr awr yn ôl i mi.

2   Wyt ti'n cofio teulu'r Beasleys
    Yn gwrthod talu'r dreth,
    A gwŷr Llanelli'n gofyn
    'Y ffylied dwl! I beth?'
    Cofio'u haberth
    A'u gweledigaeth
    Daw, fe ddaw yr awr yn ôl i mi.

3   Wyt ti'n cofio sgwâr Caerfyrddin
    Pan oedd Emyr yn y llys,
    Y dyrfa fawr yn ddistaw
    Ac yntau'n cael deuddeg mis
    Am fod yn Gymro,
    Wyt ti'n cofio?
    Daw, fe ddaw yr awr yn ôl i mi.

4   Wyt ti'n cofio Pont Trefechan
    A'r brotest gynta'i gyd
    A'r Cardis yn ffaelu deall
    Pam roedd Cymry'n blocio'u stryd
    Heb ddim achos,
    'Codwch, blantos!'
    Daw, fe ddaw yr awr yn ôl i mi.

5   Wyt ti'n cofio mynd ar brotest
    I dre Dolgellau deg,
    A llanciau'r dre a'r plismyn
    Yn taflu dwrn a rheg
    Fel cosb am hawlio
    Parch i'r Cymro,
    Daw, fe ddaw yr awr yn ôl i mi.

6   Wyt ti'n cofio Twm yng ngharchar
    Am sefyll dros ei hawl
    A phobol Cymru'n ei wawdio
    A'i alw'n ffŵl a diawl—
    Am fod yn Gymro
    Wyt ti'n cofio?
    Daw fe ddaw yr awr yn ôl i mi.

7   Wyt ti'n cofio Cwm Tryweryn
    Pan agorwyd argae'r trais,
    A dialedd hwyr y Cymry
    Yn boddi geiriau'r Sais,
    Wyt ti'n cofio?
    Rhy hwyr Gymro!
    Daw, fe ddaw yr awr yn ôl i mi.

8   Wyt ti'n cofio'r gŵr bach rhadlon
    A'i wên fel toriad dydd,
    Ei sgwrs fel bwrlwm afon
    A'i freuddwyd am y Gymru Rydd,
    Wyt ti'n cofio
    Cawr o Gymro?
    Daw, fe ddaw yr awr yn ôl i mi.

9   Wyt ti'n cofio'r straeon lliwgar
    Am bridd y filltir sgwâr
    A'i gnoc ar ddrws dy galon
    Wrth sôn am y bywyd gwâr
    Wyt ti'n cofio
    Cawr o Gymro?
    Daw, fe ddaw yr awr yn ôl i mi.

10 Wyt ti'n cofio'r llysoedd mynych
    Pan oedd Cymry ar eu praw,
    Wyt ti'n cofio'r geiriau a ddwedodd,
    Wyt ti'n cofio'r ysgwyd llaw?
    Wyt ti'n cofio
    Cawr o Gymro?
    Daw, fe ddaw yr awr yn ôl i mi.

11 Wyt ti'n cofio sgwâr Caerfyrddin
    Pan gododd Cymru'i phen,
    Llawenydd yn ein dagrau
    A Gwynfor yno'n ben,
    Wyt ti'n cofio,
    Nos y gwawrio?
    Daw, fe ddaw yr awr yn ôl i mi.

54 Daw Hiraeth Arnaf Weithiau

(Ar alaw '40 Shades of Green')

Ysgrifennwyd yng Nghaerdydd yn y Chwedegau, pan oedd Cefn Gwlad Cymru'n ddigon pell i fod yn ddelfryd ramantus...

1   Daw hiraeth arnaf weithiau
     Yng nghanol sŵn y dref
     Am heddwch bro fy mebyd
     Lle mae 'na lasach nef,
     Lle mae 'na braidd ar fynydd
     A llwybrau cain ar dir,
     A'r Gymraeg yr un mor swynol
     Â chân yr afon glir.

     Cytgan: Ond mwy yw'r hiraeth sy'n fy mron
             Am ferch a gerais gynt
             Ei gwên a welaf yn yr haul
             A'i chusan yn y gwynt.
             Ac os caf finnau ddychwel
             I gyrrau'r wlad rhyw ddydd
             Câf ei chusanu yn yr heulwen
             A'i charu'n yr awel rydd.

2   A phan fo'r nos yn disgyn
     A lampau'r dref ynghyn
     Daw hiraeth am weld y lleuad
     Ynghrog ym mrigau'r ynn,
     A phan fo sŵn y strydoedd
     A'r dyrfa arnai'n boen
     Daw hiraeth am dawelwch
     Y ffridd lle brefa'r oen.

55 Dewch i Lan y Môr

1.   Does dim golwg fod y niwl a'r glaw yn cilio
   Does dim golwg o'r haul drwy'r cwmwl du
   Mae'n dal i fwrw hen wragedd a ffyn
   Chawn ni byth fynd i lan y môr fel hyn
   Dyw'r hafau nawr ddim fel yr hafau fu.

   Cytgan: O-o-ho ... dyw'r hafau nawr ddim fel yr hafau fu.

2.   Mae'r dyn ar y bocs yn sôn am ysbeidiau heulog
   Mae'r dyn ar y bocs yn gaddo tywydd braf
   Mae'n dal i fwrw hen wragedd a ffyn
   Chawn ni byth fynd i lan y môr fel hyn
   Daw'r gaea'n ôl cyn i ni weld yr haf.

   Cytgan: O-o-ho ... dyw'r hafau nawr ddim fel yr hafau fu.

3.   Mae 'na le i gredu fod y niwl yn dechrau codi
   Mae 'na le i gredu fod yr haf ar drothwy'r ddôr
   Mae'r hen blaid Lafur yn colli'i lle
   Ar drai yn y Gogledd, cilio yn y De
   Cydiwch yn y bwced a'r rhaw, dewch i lan y môr.

   Cytgan: Hwre, hwre, cydiwch yn y bwced a'r rhaw, dewch i lan y môr (3)

56 Dim Ond Un Gân

1.   Mae canig nad adwaen mohoni yn iawn
   Yn hongian rhwng gwagle a byd
   Mae'n disgwyl amdanaf ni wn i ymhle
   Ond gwn ei bod yno o hyd.
   Mae'n disgwyl amdanaf fel morwyn y wawr
   Fel Blodeuwedd â'r gwlith ar ei bron
   Ond ofn sy'n fy nghalon nad eiddof y gân
   Mai cân heb ei chanu fydd hon.

   Cytgan: Dim ond un gân yn awr sydd ar ôl
   Dim ond un gân yn awr sydd ar ôl
   Cnawd yw ei geiriau a'i halaw yw'r gwaed
   Dim ond un gân yn awr sydd ar ôl.
   A gwaeddaf yn uchel ar gyrion y lli
   Gofynnaf i'r nos o ble daeth
   A'r unig ymateb a gaf fi o hyd
   Yw murmur y môr ar y traeth.

2.   Pan grwydraf yn unig hyd lwybrau y grug
   Gwrandawaf ar gwyngan y gwynt
   Ar nodau diystyr ehedydd y rhos
   Gylfinir a'i chri ar ei hynt.
   Rwy'n amau bryd hynny mai nhw biau'r gân
   Na fynnant ei rhannu â mi,
   Ond clywaf ei hadlais o ddyfnder fy mod
   A chân heb ei chanu fydd hi.

57 Dos F'anwylyd

1   Mae gruddiau f'anwylyd yn ail i wrid y pabi,
     Mae llygaid f'anwylyd yn las fel awyr yr haf,
     Mae croen f'anwylyd yn wyn fel blodau'r lili,
     Ei charu a fynnaf, ond gwn, mi wn na chaf.

     Cytgan: Dos f'anwylyd cyfod frwynen
           Ac ymafla yn ei deupen
           Yn ei hanner torr hi'n union
           Fel y torraist ti fy nghalon.

2   Mi welais f'anwylyd yn eistedd ar lan yr afon
     A llygaid y dydd o'i chwmpas fel perlau mân
     Ac yno fe ganai yn ddistaw ryw hen alawon
     Gwrandewais o hirbell a chollais fy nghalon yn lân.

3   Rwy'n cofio y noson y cerddem yng ngolau'r lleuad
     A gwylio cysgodion cymylau ar wyneb y tir
     Roedd brigau'r coed yn sibrwd straeon cariad
     Ond gwyddwn bryd hynny na pharai fy nefoedd yn hir.

Mae'r gytgan yn draddodiadol

58 Doctor Alan

I fradwr a gaiff fod yn ddi-enw . . .

1 Glywsoch chi sôn am ddyn bach o Sir Gaerfyrddin?
  Mae'n treulio peth o'i amser draw yn Nhŷ'r Cyffredin,
  Ond pan fydd y gelyn yn bygwth yr henfro
  Lawr yn Sir Gâr neu draw yn Sir Benfro
  Mae hwn yn siwr o garlamu yno—DOCTOR ALAN!

2 Mae hwn yn un dewr ac fel ASyn o benderfynol
  Mae'n agor ei geg ac yn stwffo'i droed i'w chanol,
  Mae'n achub cam y Saeson uniaith
  Yn siarad yn rhugl iawn mewn bratiaith
  Yn feistr ar falu awyr mewn dwy iaith—DOCTOR ALAN!

3 Bydd y Saesneg yn saff tra bydd bois fel fe obeutu
  Amddiffyn yr 'Iwnion Jac' yw ei unig 'diwti'
  Mewn gwlad sy'n llawn o'r cachgwn rhyfedda
  O ben draw Clwyd i lawr i'r Rhondda
  O'r holl gachgwn, hwn yw'r mwya—DOCTOR ALAN.

4 Os oes athrawon cas yn dysgu'ch plant chi
  Ac yn eu 'fforso' nhw i ddweud 'Wel shwt mae heddi?'
  Sefwch lan dros y 'Cwîn' a'r 'Neshyn'
  A gwedwch ych bod chi moyn 'ediwceshyn'
  Rhedwch draw i gael 'prescripshyn'—DOCTOR ALAN.

4 Wel, bois mae'n rhaid i'r werin godi eto
  I achub cam yr heniaith ym mro Waldo
  I sicrhau i'r Gymraeg ei dyfodol
  A dangos parch i'w hen orffennol
  A dangos bradwr mor uffernol yw DOCTOR ALAN.

59 Draw Draw Ymhell

Addasiad talfyredig o'r gân 'Tiger Bay' gan Frank Hennessy

1 Aeth lawr i'r pwll yn bedair mlwydd ar ddeg,
Ond erbyn hyn ni allai odde mwy,
Fe geisiodd godi'r teulu bach trwy deg,
Ond gwelai'r golau'n pylu yn eu llygaid hwy.
Fe werthodd bopeth er mwyn gwneud y daith
A chloiodd ddrws y tŷ lle'i ganwyd e,
Gadael bro a gadael gwŷr y graith
A mynd ar long un dydd o Tiger Bay.

Cytgan: A hwyliodd draw, draw ymhell
I wlad sydd well,
Hwylio'r nos a'r dydd
I fod yn rhydd, rhydd, rhydd.

2 Fe gafodd waith yn nhre Toronto draw,
A chafodd le i'r teulu bach dan do,
Ond wrth lafurio yn y gwres a'r baw
Hiraethai am ei ffrindie'n yr hen bwll glo.
A rhaid oedd codi pac y teulu bach
A bwrw draw i'r wlad tu hwnt i'r paith,
Eu byd i gyd mewn pecyn a dwy sach,
A'r freuddwyd nawr yn marw ar y daith.

Cytgan: A chrwydro draw, draw ymhell
I wlad sydd well
Crwydro'r nos a'r dydd
I fod yn rhydd, rhydd, rhydd.

60 Draw Dros y Don

(Alaw gan Mikis Theodorakis)

Mae hon yn alaw a'm denodd ers tro wrth ymweld â Groeg, ond er mor braf yw treulio gwyliau yno mae i'r wlad hanes hir a chythryblus. Cân i ddathlu dychweliad democratiaeth i wlad yr haul

1 Fe glywsom su y draethell wen
A chloch yr afr o'r bryn
Y môr yn las dan lasach nen
A'r gwynt yn llenwi'r hwyliau gwyn.

Draw dros y don mae gwlad yr haul
Lle bu y gwaed yn llifo cyd
Lle bu y teyrn a'i ddwrn o ddur
A sŵn y tanc a'r gwn yn llenwi'r stryd.

Ond fe ddaeth gwawr i wlad yr haul
A gwên i ruddiau'r fam fu'n wylo cyd.

2 Fe welsom gampau'r doethion gynt
Ym more cyntaf dyn
Fe welsom deml ar y bryn
A'r delwau maen mor deg eu llun.

Draw dros y don mae gwlad yr haul
Lle bu'r diodde'n para cyd
Sgrech y ferch o'i chell yn hollti'r nos
A sŵn y sodlau dur yn llenwi'r stryd.

Agorwyd drysau'r carchar led y pen
A sain y ddawns a'r gân sy'n llenwi'r stryd.

61 Dyn oedd yr Iesu

lon   a   dur   yn ei waed.

1   Pan fydd brwydrau bywyd yn ein llethu
       A'r llwybr hawdd i'w weld o'n blaen yn glir,
       Wedi ymdrech deg ac eto methu
       Mor anodd ydyw inni ddal ein tir
       Dyro inni'r ffydd,
       Dyro inni'r ffydd sy'n gallu symud mynyddoedd,
       Symud mynyddoedd a newid y byd,
       Fel y gwnaeth Efe.
       Dyn oedd yr Iesu â ffydd yn ei galon,
       Â ffydd yn ei galon a dur yn ei waed.

2   Pan fydd ffrindiau oes yn cefnu arnom
       A ninnau'n gweld y byd trwy gwmwl du
       Pan fydd popeth annwyl inni'n cilio
       Gan adael dim ond hiraeth am a fu.
       Dyro inni'r gobaith
       Dyro inni'r gobaith i weld yr heulwen
       I weled yr heulwen drwy bob cwmwl du.
       Fel y gwnaeth Efe,
       Dyn oedd yr Iesu â gobaith yn ei galon
       Gobaith yn ei galon a dur yn ei waed.

3   Pan fydd brawd at frawd yn troi'n llofruddiwr
       A gwaed y rhai diniwed yn y llaid,
       Pan na ŵyr plant am fyd heb drais gormeswr
       A sŵn y bomiau tân yn sgrech ddi-baid
       Dyro inni'r cariad
       Dyro inni'r cariad i goncro pob gormes
       Concro pob gormes a threchu pob trais,
       Fel y gwnaeth Efe,
       Dyn oedd yr Iesu â chariad yn ei galon,
       Cariad yn ei galon, a dur yn ei waed.

62 Esgair Llyn*

(Alaw 'Fields of Athenry')

*Murddun ar fferm Nantyfyda, Aberhosan lle treuliais bob gwyliau yn blentyn

Cytgan: Mae'n dawel yn awr yn Esgair Llyn
Lle gynt y bûm yn dysgu cân y byd
Ond mae'r gwaed yn llifo'n gynt, a'r gân yn fyw fel cynt
A Chymru'n fyw o hyd yn Esgair Llyn.

1 Bob bore yn ei dro, roedd hynt y dydd yn dechrau gyda'r wawr
A'r traed yn dilyn llwybrau hen y tir
Roedd pob dydd yn newydd ddydd
A phob cam yn gwbwl rydd
A phatrwm byw yn glir yn Esgair Llyn.

2 Pan âf i yn ôl, mi welaf luniau ddoe ar hyd y lle
A chofiaf hwyl a gwres y c'naea gwair
Mae'r hen gymdeithas wedi mynd
A chwytha'r gwynt lle mynn
I ddwyn atgofion bore oes yn Esgair Llyn.

3 Wrth sefyll yma'n awr, mi glywaf dynfa'r gwreiddiau dan fy nhraed
A chlywaf gân cyndadau yn fy ngwaed
Ac ar wyneb hen y tir
Mae'r llwybr i'w weld yn glir
Yn arwain at yfory Esgair Llyn.

63 Ewrop i Ni

Un o ganeuon 'Bwrw 'Mlaen' i ddysgwyr

1 Plîs gawn ni fynd i Ewrop nawr?
Agorwch y drws i Brydain Fawr!

2 Plîs gawn ni chwarae pêl-droed yn awr?
Agorwch y drws i Brydain Fawr!

Cytgan: Ewrop, Ewrop, Ewrop i ni. (2)

3 Plîs gawn ni ddod drwy'r twnel yn awr?
Agorwch y drws i Brydain Fawr!

4 Ryden ni'n rhan o'r 'ERM' yn awr
Agorwch y drws i Brydain Fawr!

5 Mae Ewrop yn tyfu yn gynt ac yn gynt
Ond plîs Delors gawn ni ga'dw'r bunt?

6 Ond beth am dipyn o awel iach?
Dewch ag Ewrop i Gymru fach!

64 Fel yna mae hi wedi bod Erioed

Cyfansoddwyd hon o gofio'r llanc a safodd o flaen y tanciau ar Sgwâr Tiananmen, a'r pedwar a restiwyd yng Nghymru yn fuan wedyn. Mae rhyddid ymhobman o dan fygythiad cyson

1   Beth ydi gwledydd pell ond enwau diarth
Beth ydi pen draw'r byd ond lle ar fap?
Ni welwn ni'r cynhebrwng yn mynd heibio drws y tŷ
'Sdim angen cau y llenni na thynnu cap.
Ond mae cyrff y plant yn gorwedd ar y sgwâr
Gwaed yn llyn lle bu'r breuddwydion gwâr
Mae sŵn y tanciau i'w glywed ar y gwynt
Mae sŵn y tanciau i'w glywed ar y gwynt.

Cytgan: Mae baril gwn y teyrn yn anelu atat ti
Mae llygaid cudd yn dilyn ôl dy droed
Mae dy ryddid di yn nwylo'r un a saif o flaen y tanc
Fel yna mae hi wedi bod erioed.

2   Mae'n anodd credu weithie ei bod hi'n bosib
Bod dyn yn gallu bod fel hyn wrth ddyn
Mae safon byw wrth godi yn tawelu min y nwyd
A phawb yn setlo i lawr wrth fynd yn hŷn.
Ond mae rhai yn gorfod ymladd am yr hawl
I fyw yn rhydd rhag gormes grym y diawl
Mae sŵn y brwydro i'w glywed ar y gwynt
Mae sŵn y brwydro i'w glywed ar y gwynt

Cytgan: Mae baril gwn y teyrn yn anelu atat ti
Mae llygaid cudd yn dilyn ôl dy droed
Mae dy ryddid di yn nwylo'r un a saif o flaen y tanc
Fel yna mae hi wedi bod erioed.
Fel yna mae hi wedi bod erioed.

65 Ffidil yn y To

1983—er cof am R.Reagan

1   Mae na ddyn yn America sy'n gowboi i'r carn
     Sy'n gallu penderfynu dyddiad Dydd y Farn,
     Mae dyfodol gwareiddiad yn ei ddwylo bach o
     Os na fydd cyn hyn yn rhoi'r ffidil yn y to.

Cytgan: Ffidil-di-di, ffidil-di-do,
         Mae'n bryd i Reagan roi'r ffidil yn y to,
         Ffidil-di-di, ffidil-di-do,
         Mae'n bryd i Reagan roi'r ffidil yn y to.

2   Mae na fachan draw yn Rwsia, gwlad y KGB
     A fe yn ôl pob golwg yw eich gelyn chi a fi
     Mae'i fys ar y botwm, ac mi fydd yn dominô
     Os na wnaiff Mikhail Gorbachev roi'r ffidil yn y to

Cytgan: Ffidil-di-di, ffidil-di-do
         Mae'n bryd i Gorbachev roi'r ffidil yn y to (2)

3   Ond pa hawl sgen i i ganu'r fath gân
     Fe glywsoch chi gyd yr un stori o'r blaen,
     A minnau wedi gaddo ers cyn co
     Y baswn i hefyd yn rhoi'r ffidil yn y to.

Cytgan: Ffidil-di-di, ffidil-di-do
         Mae'n bryd i minnau roi'r ffidil yn y to. (2)

66 Ffwdl -da-da

Addasiad o gân werin Americanaidd

Cytgan: Ffwdl da-da-da-da-da, ffwdl da-da-da-da-da
         Priododd y gleren hen iâr fach yr ha.

1 Dywedodd y gleren 'Wnei di 'mhriodi i?
   O iâr fach yr ha, rho dy galon i mi.'

2 Atebodd hithau 'O mi fydde hi'n neis
   Cael gŵr sydd yn dipyn bach mwy o seis.'

3 Atebodd y gleren 'Er fy mod i mor fach
   Mae 'ngariad i'n gywir, a 'nghalon yn iach'.

4 Aethant at y gwningen i'w priodi, do,
   Ac yna am fis mêl o gwmpas y fro.

5 Mwmian y gwenyn a chyfarth y cŵn,
   Chlywyd erioed y fath ddwndwr a sŵn.

67 Fy Ngwlad fy Hun

(Geiriau a gyfansoddwyd ar alaw o eiddo Chris Senior, 1992)

Yma mae ddoe yn aros
Heddiw ac yfory'n un
Hon yw fy ngwlad fy hun.
   —Wrth wrando ar fy Nhad yn adrodd straeon
    Am gampau bore oes yng Nghwm y glo
    Mae hiraeth am yfory yn fy nghalon
    A hiraeth am y ddoe yn tanio'r co.
   —Wrth gerdded ar y Bannau yn y Gwanwyn
    A theimlo'r haul yn gynnes ar fy ngrudd
    Rwy'n gwybod mai i Gymru rwyf yn perthyn
    A'm calon fel yr awel sydd yn rhydd.

Fy mro, fy ngwlad, fy hen, hen wlad
A'r newydd wlad sy'n codi nawr
Mi ganaf gân, yr hen, hen gân
Sy'n newydd gân am doriad gwawr.
   —Er gwaethaf ambell graith mae bro fy mebyd
    Yn harddach nag erioed i'm golwg i
    A swn yr heniaith heddiw sy'n dychwelyd
    I ganu clychau gobaith yn y tir.

Yma mae ddoe yn aros
Heddiw ac yfory'n un
Yma mae gobaith yn troi yn ffaith
Hon yw fy ngwlad fy hun.
Fy mro, fy ngwlad, fy hen, hen wlad
A'r newydd wlad sy'n codi nawr
Mi ganaf gân, yr hen, hen gân
Sy'n newydd gân am doriad gwawr.
   —Mae'r lleisiau'n codi'n uchel nawr o'r dyffryn
    Yn groeso wedi nos i doriad dydd
    A'n dagrau sydd yn ddagrau o lawenydd
    Wrth weld fod Cymru fory'n Gymru rydd.

Yma mae ddoe yn aros
Heddiw ac yfory'n un
Hon yw fy ngwlad fy hun.

68 Gad fi'n Llonydd

1   Paid â chodi dy lais i'm herbyn
    Wnes i ddim drwg i neb
    Gad fi'n llonydd, gad fi'n llonydd,
    Dwi ddim yn lleidr nac yn feddwyn
    Does arna'i ddim i neb
    Gad fi'n llonydd o fy Nuw, gad fi fod.

Cytgan: Does dim rhaid i mi ddioddef
    Fe wnaeth e yn fy lle
    Gad fi'n llonydd O! fy Nuw,
    Gad fi fod.

2   Rwy'n mynd i'r capel weithie
    Mae'r plant yn mynd i'r Ysgol Sul
    Gad fi'n llonydd, gad fi'n llonydd
    Beth mwy na hyn sydd eisie?
    Rwy'n Gristion, ond heb fod yn gul
    Gad fi'n llonydd O! fy Nuw, gad fi fod.

3   Paid â gofyn i mi aberthu
    Dros blant mewn gwledydd pell
    Gad fi'n llonydd, gad fi'n llonydd
    Mi rof bumpunt yn y gronfa
    Er mwyn cael cysgu'n well
    Gad fi'n llonydd O! fy Nuw, gad fi fod.

4   Beth os ydyw'r iaith yn marw?
    Ni allaf fi wneud dim!
    Gad fi'n llonydd, gad fi'n llonydd
    A moesau'r oes yn isel—
    Mae hynny'n ofid im
    Ond gad fi'n llonydd O! fy Nuw, gad fi fod.

5   Paid â dweud 'Fel hyn y gwnaeth yr Iesu'
    Ers talwm yr oedd e'n byw!
    Gad fi'n llonydd, gad fi'n llonydd,
    Fe gafodd e'i aberthu
    Er mwyn i mi gael byw,
    Gad fi'n llonydd, O! fy Nuw, gad fi fod.

69 Glyn y Rhosyn

(Ar alaw 'Morningtown Ride')

1   I lawr yng Nglyn y Rhosyn
    Yn y llecyn dan y coed,
    Yno ger yr afon
    Yr arferem gadw'r oed,
    Neb ond ti a minnau
    A'r adar rhwng y dail,
    Yno'n bwrw'n swildod,
    Gwên a chusan bob yn ail.

Cytgan: Cerdded lincyn loncyn
    Hyd y llwybr dan y coed,
    I lawr wrth lan yr afon
    Lle'r arferem gadw'r oed.

2   Euthum eto heddiw
I'r llecyn dan y coed,
I lawr wrth lan yr afon
Lle'r arferem gadw'r oed,
Deigryn ddaeth i'm llygaid,
Wrth gofio'r amser gynt,
Wylo oedd yr afon,
A lleddf oedd cân y gwynt.

3   Pam na ddoi di eto,
I'r llecyn dan y coed
I lawr yng Nglyn y Rhosyn
Lle'r arferem gadw'r oed?
Yno mi gawn brofi
Rhin yr amser gynt,
Chwerthin fydd yr afon,
A llon fydd cân y gwynt.

70 Gorau Cymro, Cymro oddi Cartref

1   Mae'r 'ramblers' ar y llwybrau,
Mae'r dringwyr ar y graig,
D'yw'r hen fwthyn bach gwyngalchog
Ddim yn clywed sŵn Cymraeg
Fe brynwyd yr afon gan 'syndicate',
A'r llyn gan fois y cwch,
A lle bu tân ar aelwyd lân
Does heddiw ddim ond llwch.

Cytgan: Gorau Cymro, Cymro oddi cartref
Yn llawn hiraeth yn gwneud cân,
A Saeson bach neis o Firmingham
Yn byw yng ngwlad y gân.

2   Mae arwydd 'for sale' ar yr ysgol
Ni welir y plant yno mwy,
Trowyd hen gapel bach Salem
Yn glwb dringo ers blwyddyn neu ddwy
Mae 'nhad a mam wedi symud i'r garej
Er mwyn cael gosod y tŷ,
A mynd dros y ffin i Loegr draw
Yw'r unig ddyfodol i mi.

3   Fe werthwyd gwlad fy nhadau
Am ychydig ddarnau aur
Fe werthwyd fy nhreftadaeth
Am ddyrnaid o gonffeti ffair,
Mae croeso yn y bryniau
I bawb ond fy mhlant fy hun,
Maes chwarae cenedlaethol
Sy'n ymestyn i ben draw Llŷn.

4   Ond mae cenhedlaeth newydd yn codi
I ennill y tir yn ôl
I brynu'r maes a gollwyd
Ac i ail-gyfaneddu'r ddôl,
Fe ddaw seiri, fe ddaw töwyr
A'u hoffer yn loyw lân
I godi'r muriau a chwalwyd
Ac ar yr aelwyd ailgynnau'r tân.

Cytgan: Fe ddaw'r Cymro yntau adref
I roi bywyd i'r hen gân
A ffydd yn nhinc ei forthwyl ef
A gobaith yn fflamau'r tân.

71 Gwinllan a Roddwyd

I gofio Saunders Lewis

'Thâl hi ddim inni edrych yn ôl i Benyberth am byth. Rhaid cydio yn yr awenau ac edrych i'r dyfodol—a meddiannu'r winllan. Rhagom i ryddid!'

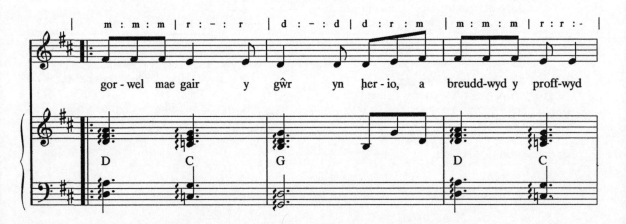

1   O'r gorwel mae gair y gŵr—yn herio
    A breuddwyd y proffwyd praff—yn herio
    A'r gwyliwr ar y twr—yn herio
    Gwlad mor llywaeth, gwlad mor saff.
    Ai yn ofer ei eiriau ef?
    Oni chlywi di'r alwad gref?
    Inni sefyll yn gadarn yn awr
    Dros Gymru, dros ryddid yn awr.

    Cytgan: Gwinllan a roddwyd i'n gofal
             Gwinllan a roddwyd i ni
             Ie, gwinllan a roddwyd i'n gofal
             Meddiannwn hi!
             Meddiannwn hi!

    (Ailadrodd)

2   Mae'r niwl ar y tipie glo—yn cofio
    Mae'r llwyni rhwng y llechi llwyd—yn cofio
    A'r beddau yn y gro—yn cofio
    Gwres y frwydr a thân y nwyd.
    Nid yn ofer eu haberth hwy
    Yn ein dwylo mae'n tynged mwy
    Fe safwn 'da'n gilydd yn awr
    Dros Gymru, dros ryddid yn awr.

72 Gwyn, Coch a Gwyrdd

Un o ganeuon 'Bwrw Mlaen' i ddysgwyr

1   Gwyn yw lliw y papur sy'n disgwyl am fy nghân
    Gwyn yw lliw yr eira mor newydd ac mor lân
    Gwyn yw lliw yr wylan sy'n hedfan mor braf
    Gwyn yw'r cymylau yn awyr yr haf.

2   Coch yw lliw yr aeron sy'n tyfu ar y pren
    A choch yw crib y ceiliog sy'n canu nerth ei ben
    Coch yw lliw y machlud pan fydd y dydd ar hynt
    A choch yw'r ddraig sy'n hedfan, yn hedfan yn y gwynt.

3   Gwyrdd yw lliw y caeau, a'r dail ar frigau'r coed
    Gwyrdd yw lliw y llwyni ar bwys y llwybr troed
    Gwyrdd yw lliw yr eiddew sy'n tyfu ar wal y tŷ
    A gwyrdd yw lliw y llygaid sy'n llonni 'nghalon i.

73 Hawl i Fyw

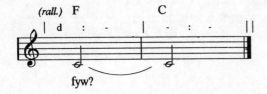

Em   Em7   A   Dm   Dm7   G

| s . ,s : l ., s | f , m: - | f .,f : f . f | m , m: d ., t₁ |

Pam na chaf i   hef - yd   Pam na chaf i   hef - yd hawl i

(rall.)   F   C

| d : - | - : - ||

fyw?

1   Rwyt ti'n edrych ar fy llun mewn cydymdeimlad
     Rwyt ti'n gofyn pam mae hyn yn gorfod bod
     Rwyt ti'n colli ambell ddeigryn o dosturi
     Ac rwyf finnau'n ofni gweld yfory'n dod.

Cytgan: Ond fe'm ganwyd innau'n fab i fy rhieni
          Ac mi glywais ddweud fod pawb yn blant i Dduw
          Rwy'n frawd i ti a thithau'n frawd i minnau
          O pam na chaf fi hefyd hawl i fyw?

2   Do, mi welais y gwleidyddion yn mynd heibio
     A phob un yn ysgwyd pen mor ddoeth, mor ddwys
     Ac mi welais yr offeiriad yn penlinio
     Cyn fy mhasio, am nad wyf fi'n neb o bwys.

3   Fe fûm i'n chwarae unwaith gyda'm ffrindie
     Ond fe'u gwelais nhw yn mynd o un i un
     Mi gollais fy nhad un nos, a mam un bore
     A'm gadael innau ar fy mhen fy hun.

4   Ond mi glywais rai yn sôn am fynydd menyn
     Ac mi glywais rai yn sôn am lynnoedd llaeth
     Ond mi wn na fyddech chi sy'n Gristionogion
     Yn caniatau gwastraffu bwyd a maeth.

74 Hen Wlad Llŷn

1   Tyrd draw am dro i draeth Porth Neigwl
     I weld y tonnau'n rhedeg ras
     Cawn glywed chwedlau y gwylanod
     Wrth droelli yn yr awyr las
     Cawn gerdded law yn llaw am oriau
     A chasglu cerrig o bob lliw
     Cawn wylio'r haul yn araf fachlud
     A llenni'r nos ar Fynydd Rhiw.

Cytgan: Mae swyn i mi ar erwau Cymru
O Went i Fôn, waeth gen i p'run,
Mae'r wlad i gyd yn annwyl imi
Ond rhaid dod nôl i hen wlad Llŷn.

2   Tyrd gyda mi i ben Uwchmynydd
I weld y swnt yn ferw i gyd,
Ac edrych draw ar Ynys Enlli
Lle cyrchai'r saint o sŵn y byd,
Cawn weld y môr yn Aberdaron
Yn torri dros y creigiau du
A chlywed tywod sidan Porthoer
Yn siffrwd hanes dyddiau fu.

3   Tyrd eto draw i goed Nanhoron
At heddwch capel bach y bardd
Cawn ddringo llethrau hen Garn Fadryn
A gweld y wlad fel mantell hardd,
Mae yno swyn a blas y cynfyd
A seiniau'r iaith yw geiriau'r gân
Sy'n herio'r llanw, herio'r hollfyd
A chynnau ffydd fel fflam o dân.

75 Hwyr Brynhawn

(Alaw Hefin Elis)

Wedi siom—a thwyll '79. Os ydym am weld Cymru'n rhydd, rhaid i ni fyw fel pe baem eisoes yn rhydd

1   Braf yw medru chwarae mig â Chymru,
Braf yw medru chwerthin am ei phen,
Smalio nad yw bywyd ond Noson Lawen hir
Ac esgus nad oes cwmwl yn y nen.

Cytgan: Ond cofia frawd nad oes amser gennyt bellach
I dindroi yn feddw a di-hid,
Hwn yw'r cyfle olaf gawn, eisoes mae yn hwyr brynhawn,
A'r haul yn bygwth machlud ar ein byd.

2   Hyfryd ydyw dringo ysgol gyrfa
A phluo'r nyth yn gynnes ac yn glyd,
Rhoi croes wrth enw Cymru, ac eistedd 'nôl yn braf
Ac esgus mai digysgod yw ein byd.

3   Chwalwyd ein breuddwydion glân rhamantus,
Maluriwyd holl obeithion Cymru Fydd,
Mae'r bradwr ar yr aelwyd a'r estron yn y nyth,
Rhaid sefyll nawr a byw fel Cymry rhydd!

76 Hyn sydd yn Ofid im

hyn   sydd yn   o - fid   im.

1   Pan welaf yr haul ar yr heli,
    Neu lwybr y lloer ar y lli,
    Pan ddaw'r gwanwyn yn ôl i'r wig
    Gyda'i fantell werdd i'r brig,
    Hyn sydd yn ofid im.
    Cofio'r rhyfel a'r gwaed yn Fietnam
    Lle nad oes amser i hidio dagrau mam,
    Yno gwelir gormes grym
    Yn lladd â'i gleddyf llym.
    A hyn sydd yn ofid im.

2   Pan fydd llawnder yn llethu fy mywyd,
    Ac esmwythyd yn llethu fy myd,
    Pan fydd hawddfyd arnai'n bwn
    Daw y cof am y tristwch hwn,
    A hyn sydd yn ofid im:
    Gweld y bomiau yn disgyn gyda'r glaw,
    Clywed adlais yr wylo oddi draw,
    Cofio'r Negro yn ei gell,
    A'r Gwladgarwr o flaen ei well,
    A hyn sydd yn ofid im.

3   Pan fydd natur yn dawel o'm cwmpas
    A hedd hwyrnos haf dros y wlad,
    Er mor dawel fy myd, mi wn
    Fod imi ran yn y tristwch hwn,—
    A hyn sydd yn ofid im:
    Cofio'r pentre sydd heddiw dan y llyn,
    Cofio'r Gymru sy'n gaethferch hyd yn hyn,
    Trwy holl sŵn rhyfeloedd pell
    Cofiaf Gymry yn eu cell,
    A hyn sydd yn ofid im.

77 I'r Gad

(Geiriau ac alaw Hefin Elis)

Mae'r Cym-ry we-di gwyll-tio a'u hys-bryd sydd ar dân Pob ta-fod we-di te-wi a'u har-fau'n fin-iog lân, a'u

I'r gad!

1 Mae'r Cymry wedi gwylltio,
A'u hysbryd sydd ar dân;
Pob tafod wedi tewi,
A'u harfau'n finiog lân,
A'u harfau'n finiog lân.

Cytgan: I'r gad! I'r gad!
Dewch Gymry hen ac ifanc,
Dewch i'r gad!

2 Syrffedwyd ar fân siarad,
Pwyllgorau saff di-ri;
Nid malu awyr mwyach,
Ond malu seins y'm ni,
Ie, malu seins y'm ni.

3 Fe heriwn bob awdurdod,
Wynebwn gosb a thrais;
Sylfeini'r drefn a grynant, bois
Pan godwn ni ein llais,
Pan godwn ni ein llais.

4 'Sdim digon yn y fyddin
I gwblhau y gwaith;
A godwch chi o'ch hawddfyd clyd
I gerdded ar y daith?
I gerdded i ben y daith?

78 I Twm yng Ngharchar

(Ar alaw a aeth yn angof)

1 Mae'r heniaith Gymraeg yn annwyl i mi
   A'i llên o gyfoeth yn llawn,
   Siaradwn hi'n y 'Steddfod, y capel a'r ffarm
   Ond yn y llys, y Saesneg sy'n iawn.

   Cytgan: Mae Twm yn y carchar am fynnu ei hawl,
   Unwn ninnau i ganu ei fawl.
   Eisteddwch yn barchus a'i alw fe'n ffŵl,
   Ond gwyddom mai y fo sydd yn iawn.

2 Mae'r llywodraeth o blaid yr iaith, medden nhw,
   Am achub yr heniaith ddi-nam,
   Ond peidiwn â gwasgu ein hawliau'n rhy bell
   Rhag ofn i'r Saeson gael cam.

3 Mae hon yn iaith i ti a mi
   A'i miwsig yn llifo'n ein gwaed,
   Ond os na wnaiff Cymru ddeffro cyn hir
   Caiff hithau ei sathru dan draed.

79 Llygod

(Alaw arall a aeth yn angof)

Cyfansoddwyd ar gyfer un o raglenni plant HTV ers talwm

1 Roedd sbwriel yn llanast o gwmpas y lle,
   A hwnnw yn drewi fel dwn i ddim be,
   I ganol y llanast, does wybod o ble,
   Daeth miloedd ar filoedd o lygod.

   Cytgan: Roedd llygod ym mhobman, rhai coch a rhai du,
   A bobol y Bala, mi'r oedden nhw'n hy,
   Yn brathu a sathru, yn llarpio yn llu,
   Wel dyna chi lygod anhygoel!

2 Roedd Caleb yn neidio fel dyn off ei ben,
   A Blodyn yn sgrechian 'Mae'r byd 'ma ar ben',
   Llewelyn yn chwerthin a gweiddi 'Amen',
   Wrth weld yr holl filoedd o lygod.

3 Fe fyton nhw'r bara a'r menyn i gyd,
   Y caws a'r cacennau, a gadael dim byd,
   Roedd Dan Dŵr yn gorwedd yn fflat ar ei hyd
   Dan draed yr holl filoedd o lygod.

4 Wel hwn oedd y pla lluosocaf mewn co,
   Ond daeth y Dyn Lludw i'r ogof am dro,
   A chyda'r holl sbwriel, aeth y llygod, wel do
   Ffarweliwyd â'r miloedd o lygod.

80 Mae Geneth Fach yng Nghymru

♩ = 120 (doh = E)

Mewn pen-tre bach — yng Nghym-ru — mae bw-thyn — gwyn-galch —
hardd — ond does neb, neb a wŷr — ym-hle mae — .
Tyf on-nen — yn ei y — myl, a blo-dau — yn yr
ardd — ond does neb, — neb a wyr — ym-hle mae — . Ac
y - no i - e'n tri-go mae car-iad y bardd —, ond does
neb, neb a wŷr — pwy yw hi — . O — mae
hon bob am — ser o mor ba-rod ei gwên, a chu-san — bob a-deg ar ei

108

min ———————— Mae hon bob am—ser yn gy-sur i-gyd, does

neb ——— a ŵyr pwy yw hi ————.

1   Mewn pentre bach yng Nghymru mae bwthyn gwyngalch hardd
      Ond does neb, neb a ŵyr ymhle mae.
      Tyf onnen yn ei ymyl, a blodau yn yr ardd
      Ond does neb, neb a ŵyr ymhle mae.

      Cytgan: Ac yno ie'n trigo mae cariad y bardd,
               Ond does neb, neb a ŵyr pwy yw hi.
               O mae hon bob amser o mor barod ei gwên,
               A chusan bob adeg ar ei min.
               Mae hon bob amser yn gysur i gyd,
               Does neb a ŵyr pwy yw hi.

2   Mae geneth fach yng Nghymru â'i gwallt mor ddu â'r nos
      Ond does neb, neb a ŵyr pwy yw hi.
      Ei chroen mor wyn â'r lili, a'i gruddiau fel y rhos,
      Ond does neb, neb a ŵyr pwy yw hi.

3   Mae geneth fach yng Nghymru â'i llygaid O! mor las,
      Ond does neb, neb a ŵyr pwy yw hi.
      Mae hon yn un mor annwyl, ni ddywed ddim yn gas,
      Ond does neb, neb a ŵyr pwy yw hi.

81 Mae 'Nghalon i ar Dorri

(Ar alaw 'Go Tell Aunt Rhody')

1 Mae 'nghalon i ar dorri,
  Mae 'nghalon i ar dorri,
  Mae 'nghalon i ar dorri,
  Fe aeth fy nghariad i.

2 Rwy'n crio fel yr afon, (3)
  'Rôl colli 'nghariad i.

3 Do, fe gawsom gweryl, (3)
  Yna gadawodd fi.

4 Fe chwiliodd am un arall, (3)
  Er mwyn f'anghofio i.

5 Fe gafodd gariad newydd, (3)
  Er mwyn f'anghofio i.

6 O tyrd yn ôl f'anwylyd, (3)
  O rwy'n dy garu di.

82 Mae Hiraeth yn fy Nghalon

Un o hoff ganeuon fy Nhad

1 Mae hiraeth yn fy nghalon am y ddoe na ddaw yn ôl,
  Mae tristwch yn fy enaid am a fu,
  Mae dagrau yn fy llygaid 'rôl y rhai sydd wedi mynd
  A'r atgof sydd yn bwrw cysgod du.

  Cytgan: Af i chwilio yn y mynydd. Af i chwilio yn y glyn.
  Af i chwilio am orffennol teg fy ngwlad.
  Gwrandawaf ar yr afon, a syllaf ar y llyn
  A disgwyl, disgwyl gweled fy nhreftâd.

2 Mae awel yn y brigau yn dweud am y dyddiau blin
  Pan oedd gormes y landlordiaid yn y tir,
  A'r hesg yn dweud yn ddistaw am fuchedd gwerin dlawd
  Aberth bywydau byr a'r dyddiau hir.

  Cytgan: Ond dywed nant y mynydd am lawenydd ac am hwyl,
  Am falchder a gorfoledd dan yr iau,
  A dywed llif yr afon am fethiant gormes Sais
  I dorri calon ddewr y bur hoff bau.

  Pennill 1 eto

  Cytgan: Af i chwilio yn y mynydd. Af i chwilio yn y glyn.
  Af i chwilio am orffennol teg fy ngwlad.
  Gwrandawaf ar yr afon, a syllaf ar y llyn
  A gwelaf, gwelaf yno fy nhreftâd.

83 Mae 'na Le yn Tŷ ni

Cipolowg ar bolitics y 60au!

1   Mae tadcu yn perthyn i'r Blaid Lafur,
    Mae'i frawd yn Dori rhonc,
    Fy chwaer yn dipyn o Young Liberal,
    A 'mrawd yn dipyn o ionc,
    Mae mam yn Gadeirydd y Dybliw Ai,
    A dadi druan ar y dôl,
    Mae 'nghefnder wedi dianc gyda gwraig y fet
    A ma' nhw'n dweud na ddaw e byth yn ôl.

    Cytgan: O! Mae 'na le yn tŷ ni, yn tŷ ni
             O-O-O-O! Mae 'na le yn tŷ ni!

2   Mae Tadcu yn perthyn i'r Blaid Lafur
    Ers dyddiau'r ILP,
    Fe fuodd e ar streic am fis neu ddau
    Ac yn y carchar am ddeuddydd neu dri,
    Mae llun Keir Hardie uwch ei wely
    Mae'n darllen Karl Marx wrth y tân,
    Mae e'n credu fod Elystan yn Sosialydd Mawr
    A bod Wilson yn Gymro glân.

3   Mae gan frawd tadcu ddigonedd o bres,
    A thafarn ar lan y môr,
    Heiffen neu ddwy rhwng ei ddau syrnâm
    A medal neu ddwy yn y drôr,
    Mae e'n Dori am mai Tori yw e fod, medde fe,
    Ac am mai Tori oedd ei Dad a'i Daid,
    Mi gaiff garden bob Nadolig oddi wrth shoffer y cwîn,
    Mi siaradith Gymraeg os bydd rhaid.

4   Mae fy chwaer yn perthyn i'r Liberals bach
    A'i gwallt hi fel tomen o dail,
    Mae'n lico tipyn bach o bot ar y slei,
    Yoko Ono yw Lloyd George yr ail,
    Mae ganddi bâr o drowsus o groen jiraff
    A dim ond un arall yn sbâr,
    Mae hi'n credu mai wrth garu y mae hi'n liberal,
    Ac fod Hooson braidd yn sgwâr.

5   Mae na gangen newydd sbon o Ferched y Wawr,
    Newydd ddechre yn ein pentre bach ni,
    Ond mae Mam yn gwrthod gwneud dim byd â nhw
    Am eu bod nhw yn gul medde hi,
    Mae ei ffrindie i gyd yn perthyn i'r W.I.
    Gwraig y ficer a Miss Willoughby Wee,
    Mae'n ymarfer ei Saesneg wrth siarad â'r gath,
    Ac ambell i air wrth y ci.

84 Mae Rhywun yn y Carchar

(Alaw: Hefin Elis)

♩ = 69 (doh = E)

un yw'r sgwrs dros glawdd yr ardd, 'mae'n co - di'n braf 'neu 'mae'r blo-dau'n hardd,'

Son am Sad - dam fel 'tae o'n byw 'lawr y stryd———, Wfft-io'r rhy-fel ym mhen draw'r byd,

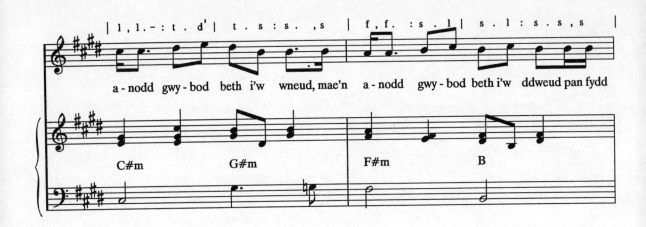

a-nodd gwy-bod beth i'w wneud, mae'n a-nodd gwy-bod beth i'w ddweud pan fydd

C#m   G#m   F#m   B

rhyw-un—— yn y car-char dro-som ni.   'So I'r

F#m7   A   B   E   A

ni ————————

E   A   B   A   E

114

1   Yr un yw'r sgwrs dros glawdd yr ardd
     'Mae'n codi'n braf' neu 'mae'r blodau'n hardd'
     Sôn am Saddam fel tae o'n byw lawr y stryd
     Wfftio'r rhyfel ym mhen draw'r byd
     Sôn am bopeth dan haul y ne
     Barnu pobl, rhoi'r byd yn ei le,
     Dweud 'run gair am y ddau neu dri
     Sydd heddiw'n y carchar drosom ni.

     Cytgan: Mae rhywun yn y carchar drosom ni
             Oes, mae rhywun yn y carchar drosom ni
             Mae'n anodd gwybod beth i'w wneud
             Mae'n anodd gwybod beth i'w ddweud
             Pan fydd rhywun yn y carchar drosom ni.

2   'So what?' medd riportar y BBC
     'Dyw aberth ddim yn stori' medd HTV
     'Pan aeth yr un cynta i mewn dros yr iaith
     Roedd hynny'n newyddion, 'sdim gwadu'r ffaith
     Ond pan aeth un arall, ac un arall i'r jêl
     Y stori wedyn aeth braidd yn stêl
     Er cymaint y carem roi sylw i chi
     Mae pethau pwysicach i'w rhoi ar TV.'

3   I'r diawl â'r fath siarad! Y rhain sydd yn rhydd
     Rhain sy'n sefyll dros y Gymru a fydd
     Yn nüwch eu celloedd, mae'r fflam heno'n goch
     Y ffydd yn gadarn a'r waedd yn groch
     Clywaf eu cri yn nhawelwch y nos
     Yn deffro'r mynyddoedd, yn ysgwyd y rhos
     A diolch i Dduw am y ddau neu dri
     Sydd heddiw'n y carchar drosom ni.

85 Mae'n Disgwyl

Ar batrwm caneuon Gwyddelig sy'n portreadu'r genedl fel gwraig, hen ac ifanc

1   Mi welais hen wreigan yn eistedd mewn cornel
    A'i hwyneb yn hen a blinedig,
    Siaradai yn ddistaw am oesau a fu
    Mewn llais oedd yn wan a chrynedig.
    Edrychai i'r fflamau a chofio am ddyddiau
    Pan oedd hi yn ieuanc ei bryd,
    Ac yna dywedodd, a chrac yn ei llais,
    Fod ei gobaith yn aros o hyd.

    Cytgan: Mae'n disgwyl i'w meibion a'i merched
           I godi eu pennau yn uchel 'mysg gwledydd y byd.
           Mae'n disgwyl i'w meibion a'i merched
           Ar ryddid i roddi eu bryd.
           Mae'n disgwyl gweld dymchwel holl gaerau a thyrau
           A thraha'r gormeswyr talog i'r llawr.
           Mae'n disgwyl gweld cenedl newydd
           Yn cerdded yng ngolau y wawr.
           Mae'n disgwyl, mae'n disgwyl o hyd.

2   Treiglodd y dagrau i lawr hyd ei gruddiau,
    A'i geiriau yn troi yn ochenaid
    Wrth feddwl am fywyd o lafur a phoen,
    A'r siom a roes graith ar ei henaid.
    Estynai ei dwylo at wres y tân
    Ac yn sydyn newidiodd ei phryd,
    Ac yna dywedodd, â her yn ei llais,
    Fod ei gobaith yn fyw o hyd.

86 Mae'n Wlad i Mi

(Alaw: Addasiad o 'This Land is My Land', Woody Guthrie)

Geiriau'r gytgan gan Edward Morus Jones

Mi fûm yn crwy - dro hyd lwy - brau u - nig, ar foe-lydd mei - thion yr hen A - -re - nig; A chlywn yr a - wel yn dweud yn

118

1 Mi fûm yn crwydro hyd lwybrau unig,
   Ar foelydd meithion yr hen Arenig;
   A chlywn yr awel yn dweud yn dawel:
   'Mae'r wlad hon yn eiddo i ti a mi.'

2 Mi welais ddyfroedd Dyfrdwy'n loetran
   Wrth droed yr Aran ar noson loergan,
   A'r tonnau'n sisial ar lan Llyn Tegid,
   'Mae'r wlad hon yn eiddo i ti a mi.'

Cytgan: Mae'n wlad i mi ac mae'n wlad i tithau,
        O gopa'r Wyddfa i lawr i'w thraethau,
        O'r De i'r Gogledd,
        O Fôn i Fynwy
        Mae'r wlad hon yn eiddo i ti a mi.

3 Mae tywod euraid ar draeth Llangrannog
   A'r môr yn wyrddlas ym mae Llanbedrog;
   O ddwfn yr eigion mae clychau'n canu,
   'Mae'r wlad hon yn eiddo i ti a mi.'

119

87 Maen nhw'n Paratoi at Ryfel

Cytgan: Maen nhw'n paratoi at ryfel
      Er mwyn cadw'r byd yn rhydd
      Maen nhw'n adeiladu bomiau mwy a mwy
      Maen nhw'n paratoi at ryfel
      Nes y gwawria'r hyfryd ddydd
      Y bydd neb ar ôl i boeni am ddim byd mwy.

1   Felly talwch, ddinasyddion!
     A rhowch o'ch pwrs yn hael,
     Y Trident yw y ffordd i'r bywyd gwir,
     Mae'n rhaid arfogi'r gwledydd
     I sicrhau'n ddi-ffael
     Yr heddwch hir tragwyddol dros ein tir.

2   Rhown stop ar drais a gormes
     Ac ar strach y strydoedd cefn,
     Fe grogwn holl derfysgwyr cas y byd,
     Y bomiau bendigedig
     Ddaw â'r byd yn ôl i drefn,
     A phawb i fyw mewn heddwch—ar eu hyd.

3   Felly talwch, ddinasyddion!
     I wneud y gwaith yn haws
     Mae'r bom niwtron yma i achub euog ddyn,
     Cawn fyw dan fwrdd y gegin
     Gyda brechdan fach o gaws
     I ddisgwyl am yr alwad olaf un.

4   Felly talwch, ddinasyddion!
     Dim ond y gorau wnaiff y tro,
     Fe adeiladwn fom fydd yn werth y byd,
     Fydd dim sôn am bridd y fynwent
     Na gorwedd yn y gro,
     Cawn losgi gyda'n gilydd yr un pryd.

88 Mae'r Darnau yn Disgyn i'w Lle

1   Beth ydy ystyr y geiriau sy'n llenwi 'nghaneuon?
     Beth ydy ystyr y dagrau sy'n llosgi fy ngrudd?
     Beth ydy rheswm y dychryn sy'n llenwi fy nghalon?
     Beth ydy neges y cysgod sy'n t'wyllu fy ffydd?

     Hiraetha fy enaid am ennyd o wybod a sicrwydd y syml a'r glân
     Hiraetha fy enaid am harmoni'r lleisiau a'r alaw sy'n burach na'r gân.

2   Mae eco'r cwestiynau yn boendod o hyd ar fy neall,
     Mae pwysau'r amheuon yn fwrn ar f'ysbryd llesg
     A dianc wnaf eto trwy gaeau y crawcwellt a'r ysgall
     At heddwch y mynydd i wrando doethineb yr hesg.

Ac yno caf sicrwydd yr oesau
Mae'r darnau yn disgyn i'w lle,
Mae doe ac yfory i minnau,
Does dim angen gofyn,
Does dim angen gofyn 'paham' nac 'i be'.

2   Mae'r meddwl yn hurt wrth wrando tiwn gron y newyddion,
Mae celwydd y gwleidydd yn gadael cam-flas yn fy ngheg,
Fe'm dallwyd gan liwiau a sglein a sgrech hysbysebion—
Dyw cyngor yr holl arbenigwyr yn ddim namyn rheg.

Hiraetha fy enaid . . .

89 Mae'r Llencyn yn y Jêl

(Alaw gan Hefin Elis; geiriau gan Hefin Elis a Dafydd Iwan)

1   Mae 'na rai sy'n dweud o hyd
Does dim o'i le ar ein gwlad,
Nad oes gormes yn y tir,
Ac mai lol yw sôn am frad.

    Cytgan: Ond mae'r llencyn yn y jêl
           A dyw Cymry'n malio dim,
           Ond daw rhyddid doed a ddêl
           O'i gaethiwed creulon llym.

2   Gwelodd hwn ei ffordd yn glir,
Dewis gadael hawddfyd moeth,
Gadael aelwyd, gadael câr,
Gwrthod cyngor bydol-ddoeth.

3   Fe agorir drws y gell,
A daw'r llanc i olau dydd,
I weld Cymru'n Gymru well,
I weld Cymru'n Gymru rydd.

4   Daw un arall yn ei le
Ac un arall ar ei ôl,
Tra bo craig rhwng dae'r a ne',
Tra bo heulwen ar y ddôl.

(Y ddau·bennill diwethaf i'w canu ar yr un alaw â'r gytgan)

90 Mae'r Saesneg yn Esensial

Cyflwynedig i'r ddwy o Fôn a aeth â Chyngor Gwynedd i'r tribiwnlys diwydiannol ym Mae Colwyn, gyda diolch i Syr Tomos am gael benthyg y ddwy linell anfarwol*.

Cytgan: Mae'r Saesneg yn 'esensial' medde nhw
A'r heniaith yn 'ddymunol' medde nhw
Pa bynnag swydd a geisiwch
Pa bynnag waith a ddymunwch
Yr unig gymhwyster, cofiwch, yw'r iaith fain.

1   Does neb yn eich rhwystro rhag siarad Cymraeg
Mae hon yn wlad rydd i bob gŵr a phob gwraig
A chyfraith Lloegr yw'r gyfraith orau'n bod
*Fe gewch ganmol y Gymraeg fel canmol jwg ar seld
*Ond gwnewch hi'n hanfod, ac fe gewch chi weld
Fe gewch eich cosbi gan y 'Race Relations Board'.

2   Mae'n rŵd dros ben i fynnu siarad eich iaith
Yng ngŵydd y Sais a ddaeth o bellter maith
I leddfu diboblogi ac i hybu economi'r fro
Ac mae'n bryd inni ddysgu mai ein braint i gyd
Yw siarad yr iaith sy'n cael ei siarad drwy'r byd
Felly plygwn gyda'n gilydd i lyfu'i sgidie fo!

3   A be di'r ots os yw'r hen wraig fach
Yn methu gofyn am gael mynd i'r tŷ bach
Mae'n hen ddigon hen i ddysgu siarad yn iawn,
A be di'r ots os yw'r hen ŵr mwyn
Yn methu gofyn am gael sychu'i drwyn
Mae'n hen ddigon hen i ddysgu siarad yn iawn.

91 Magi Thatcher

1   Dewch at y tân,
Gwrandewch ar fy nghân
Mi ganaf i Magi Thatcher;
Y ddynes o haear'
Brenhines y ddaear
Neb llai na Magi Thatcher,
Fflachio mae'r mellt
Pan ddaw Magi To Gwellt
I osod y ddeddf i lawr,
Mae 'di canu ar Gymru
Awn yn ôl at y llymru,
Henffych O! Magi Thatcher.

2   Mae'r Rwsiaid yn gwelwi
      Pan glywan nhw enwi
      Enw 'rhen Fagi Thatcher,
      A'r Ayatola Khomeini
      Mae yntau yn crynu
      Pan welith lun Magi Thatcher,
      Mae'r Farchnad Gyffredin
      Yn wan fel gwybedyn
      Pan fydd Magi yn gweiddi o bell,
      Mae 'di canu ar Gymru
      Awn yn ôl at y llymru
      Henffych O! Magi Thatcher.

3.   Mrs T yw y Boss, mae hynny'n ddi-os
      A gwae pawb sy'n credu'n wahanol
      Aeth Brittan i'r pot, Stevas a Nott
      A ma Walker yn peryglu'i ddyfodol
      Aeth Meic Heseltîn mas ar ei ben
      Ond ma' Magi yma o hyd
      Mae 'di canu ar Cymru
      Awn yn ôl at y llymru,
      Henffych O! Magi Thatcher.

4   Wedi cau'r pylle glo, a rhoi'r ffatri dan glo
      Dyw hynny ddim yn ddigon i Thatcher
      Rhaid gwerthu'r Bwrdd Trydan a'r Bwrdd Dŵr yn gyfan
      Cael gwared o'r 'Family Silver'
      Sdim gwaith nawr yng Nghymru, ond mae inffleshyn yn arafu
      Mae'r rhagolygon yn wych,
      Wedi claddu'r Undebe
      Gallwn droi ein hwynebe
      Ar yr haul o ben-ôl Magi Thatcher.

5   Os nad oes job gan y gŵr
      Yr ateb yn siŵr
      Yw symud, medd Magi Thatcher,
      Dadwreiddio eich tent
      A symud i Kent
      Fel eich tadau, medd Magi Thatcher,
      Ond mae'r Cymry am sefyll
      Heb symud eu pebyll
      I herio 'rhen Fagi a'i chriw,
      Dros iaith a thros waith bois,
      Ymladdwn yn awr bois,
      Cawn wared ar Magi Thatcher!

92 Magi Thatcher

Penillion ar ôl iddi fynd

1. Mae Magi di mynd
   Be wnai heb fy ffrind?
   Bydd colled ar ôl Magi Thatcher
   Yr hen Fagi dirion
   A Denis bach wirion
   A phwy glywodd sôn am John Major?
   Ar bwy gawn ni regi
   Wedi ffarwelio â Magi
   Oes na bwrpas o hyd i ni fyw?
   Mae 'di cachu ar Gymru
   O diolch am lymru!
   A ta-ta 'rhen Fagi Thatcher.

2. Mae Magi di madal
   Ond yw'r byd yn anwadal?
   Fe gafodd dŷ bach draw yn Dulwich
   Caiff godi'n y bore
   I hwfro'r rŵm ore
   A gwneud paned i Denis a *sandwich*
   Ond mae angen o hyd
   I achub y byd
   Rhag Saddam Hussein a'i fath
   Be nawn ni heb Magi
   Ond rhedeg i lechu?
   O tyrd 'nôl, Magi Thatcher.

3. Ond waeth heb a malu, ma Magi di heglu
   Rhaid nawr neud y gore o'r gwaetha
   Ac ar y Welsh ffrynt mae o David Hunt
   Yn llusgo Wyn Robaitsh wrth ei glustia
   Ond peidwch â phoeni
   Mae un yn dal efo ni
   Sy'n dal holl bwysau y byd
   Os di Magi di madel, mae'r dyfodol yn ddiogel
   Mae Elwyn Jones yma o hyd!

93 Mair Paid ag Wylo Mwy

(Alaw: addasiad o alaw Negro America, 'Mary Doncha Weep')

1 Weli di'r doethion yn dyfod draw
Drud anrhegion ym mhob llaw?
Dod i weled y Baban
Mair, paid ag wylo mwy.

Mair, Mair paid ag wylo mwy (2)
Dod i weled y Baban
Mair, paid ag wylo mwy.

2 Weli di'r bomiau mor loyw a glân
Yn barod i'n chwythu yn chwilfriw mân?
Tybed a gofiwn y Baban
Mair, rhaid it wylo mwy.

Mair, Mair paid ag wylo mwy (2)
Tybed a gofiwn y Baban
Mair, paid ag wylo mwy.

3 Weli di'r bugail ynghanol ei braidd
Yn gwarchod y defaid rhag y llew a'r blaidd?
Daw yntau i weled y Baban
Mair, paid ag wylo mwy.

Mair, Mair, paid ag wylo mwy (2)
Daw yntau i weled y Baban
Mair, paid ag wylo mwy.

4 Weli di'r bugail ynghanol ei braidd
Yn gwarchod y defaid rhag y llew a'r blaidd?
Daw yntau i weled y Baban
Mair, paid ag wylo mwy.

Mair, Mair, paid ag wylo mwy (2)
Daw yntau i weled y Baban
Mair, paid ag wylo mwy.

4 Weli di'r Negro yn diodde'n ei gell
Glywi di blentyn y newyn pell?
Mae Herod ar warthaf y Baban
Mair, rhaid it wylo mwy.

Mair, Mair, paid ag wylo mwy (2)
Mae Herod ar warthaf y Baban
Mair, paid ag wylo mwy.

94 Mam Wnaeth Got i Mi

♩ = 126 (doh = E)

| : | : .m | m.m:-.m|m.r:d | f : f.,f | f.m r |

Go - fyn-nais i'r ti-tw bach, 'Ble gest ti got mor las?'

E   B7   E   A

| .m:m.m|-.r:d | r : — | : s | m :m.m|-.r:d.f | f : f.f |-.m:r.r |

Dy-ma'r a - teb ges i; ——   'O! Mam wnaeth got i mi o ddarn o'r a-wyr fry pan

E   B7   E   A

| d : d | .r:r.d | -:- | -: | m :m.m|-.r:d | .f:f.f |-.m:r |

oedd hi'n ga-nol haf.   La la la la la,   la la la la la,

E   B7   E   A

1 Gofynnais i'r titw bach
   Ble gest ti got mor las?
   A dyma'r ateb ges i—
   O Mam wnaeth got i mi o ddarn o'r awyr fry
   Pan oedd hi'n ganol haf.

   Cytgan: La la la la la,
            La la la la la,
            La la la la la la—
            O mam wnaeth got i mi o ddarn o'r awyr fry
            Pan oedd hi'n ganol haf.

2 Gofynnais i'r deryn du
   Ble gest ti liw dy blu?
   A dyma'r ateb ges i—
   Mam wnaeth got i mi o ddarn o'r awyr fry
   Pan oedd hi'n ganol nos.

3 Gofynnais i'r deryn to
   O ble daeth ei got fach o?
   A dyma'r ateb ges i—
   O mam wnaeth got i mi o ddarn o'r awyr fry
   Pan oedd hi'n bwrw glaw.

4 Gofynnais i'r robin goch
   Ble gest ti got mor goch?
   A dyma'r ateb ges i—
   O mam wnaeth got i mi o ddarn o'r awyr fry
   Pan oedd hi'n machlud haul.

95 Mari Fawr Trelech

1   Mi es ryw noson wyntog
     I gwrdd a Mari fawr,
     Eisteddais wrth y beudy
     Am dros dri chwarter awr,
     Ac yna clywais wislad
     Yn dod o'r sgubor wair,
     A dyna lle roedd Mari
     Yn cymryd lle dwy neu dair.

     Cytgan: O! Mari aha ha ha Mari
                Mari, oho ho Mari,
                Ei gwallt lliw cwstard ŵy
                Hon sydd bron fel dwy,
                O! ni wn am un sy'n fwy
                Na Mari fawr Trelech.

2   Eisteddais wrth ei hymyl
     A dweud 'Helo'n reit cŵl,
     Ond y cyfan ddwedodd Mari oedd—
     'Ble buest ti, y ffŵl?'
     Ond cyn iddi ddweud dim rhagor,
     Gafaelais yn eitha sownd—
     A ffeindio mas bod fy mreichiau i'n
     Rhy fyr i fynd reit rownd!

3   Sibrydais lot o ddwli
     Fe ddwedais bethe bach neis
     Fe ddwedais bod ei hwyneb pert
     Run lliw a phwdin reis,
     Adroddais ddetholiad o Awdl yr Haf
     Wrth gydorwedd ar y llawr
     A dweud er fod pethe da yn brin
     Fod pethe prin yn fawr!

4   Pan roiodd imi gusan
     Ffaelais a dweud dim mwy,
     Roedd caru gyda Mari Fawr
     Fel ymladd gyda dwy.
     Fe wasgodd ac fe wasgodd
     Nes imi golli 'ngwynt,
     Ac fel ron i yn slowo lawr
     Roedd Mari'n mynd yn gynt.

5   Ar ôl ryw awr a hanner
     Ron i biti gonco mas
     Fy llyged wedi ceued
     A 'nhafod wedi troi yn las,
     Fe gododd Mari a gweiddi
     'Wel wfft i shwt foi â ti!'
     A chan gau botymau ei chot PVC
     Gan regi, i ffwrdd â hi!

     Cytgan: O Mari, ta-ta te Mari
                Mari, ffarwel rhen Fari
                Ei gwallt lliw cwstard ŵy,
                Hon sydd bron fel dwy
                Ni wn am un sy'n fwy
                Na Mari fawr Trelech.

96 Mari Malŵ

I ferch anhysbys o Lydaw...

1 Lliw ei gwallt fel y rhedyn ar ochr y bryn
A'i gruddiau fel rhosyn ar liain main gwyn,
Roedd ei gwên fel yr heulwen a'i llygaid ar dân
Wrth feddwl amdani mi ganaf fy nghân.

O Mari Malŵ, fy Mari Malŵ,
Gei di gario fy nhelyn, fy Mari Malŵ.

2. Mi gwelais hi gyntaf yn ymyl y môr
A chanai y tonnau'n fy nghlustiau fel côr,
Roedd bod yn ei chwmni'n dod ag angerdd i'm bron,
Mae hwnnw'n fy llethu y funud hon.

O Mari Malŵ, fy Mari Malŵ,
Gei di diwnio fy nhannau, fy Mari Malŵ.

3 Fe aethom rhyw fore am dro hyd y traeth,
Trodd ataf yn sydyn a gwenu a wnaeth,
Roedd ei gwên fel tae'r awyr yn olau gan fellt
A miloedd o fflamau yn ysu y gwellt.

O Mari Malŵ, fy Mari Malŵ,
Gei di ganu fy nghytgan, fy Mari Malŵ.

4 Diflannodd rhyw ddiwrnod o'm golwg yn llwyr
A minnau'n ei charu, fel arfer rhy hwyr
Ond pan af i gerdded hyd lwybr y ddôl
Mae'r atgof yn mynnu dod ataf yn ôl.

O Mari Malŵ, fy Mari Malŵ,
Rwy'n canu fy hunan, heb fy Mari Malŵ.

Y canwr gwerin go iawn!

. . . Ond a yw hi'n bryd rhoi'r gorau i'r farf?

97 Meddwl Amdanat ti

♩ = 112 (doh = D) (*Alaw: 'Shucking of the Corn'*)

1. Mae'r haul yn ma—chlud yn a-raf—— dros y-myl maw—nog a
rhos a'r lleu-ad wen—— yn dod i'r nen— i ol-
-eu-o e——rwau'r nos, Rwy'n me-ddwl am-da-nat ti, Breu-
ddwy-dio—— am da-nat ti rwy'n me-ddwl am-da-nat—, breu-
ddwy-dio—— am-dan-nat—, breu-ddwy-dio—— am-da-nat ti.

1 Mae'r haul yn machlud yn araf
   Dros ymyl mawnog a rhos
   A'r lleuad wen yn dod i'r nen
   I oleuo erwau'r nos.

   Cytgan: Rwy'n meddwl amdanat ti,
   Breuddwydio amdanat ti
   Rwy'n meddwl amdanat,
   Breuddwydio amdanat,
   Breuddwydio amdanat ti.

2 Pan gyfyd ehedydd o'r rhosdir,
   Pan neidia y brithyll o'r dŵr,
   Pan awn am dro hyd lôn y coed,
   Bryd hynny, mi fyddaf yn siwr.

3 Pan eilw'r brwyn ar yr awel
   A'r afon yn sisial ei chân
   Mae cyffwrdd dy ddwylo yn fwyn ar fy nghroen
   A'm calon sy'n myned ar dân.

4 Tra pery dail ar y fedwen,
   Tra pery aderyn mewn nyth,
   Tra pery'r halen yn nyfroedd y môr
   Mi fyddaf yn ffyddlon byth.

98 Mefus ar dy Wefus

Cytgan: Mae'r mefus ar dy wefus di
Mefus ar dy wefus di
Mefus ar dy wefus
Rhosyn ar dy rudd
Ti yw 'nghariad i.

1   Rwy'n deffro yn y bore bach
Clywed cân yr adar
Yn rhoi croeso i'r dydd
Yn dwyn i gof dy gariad di.

2   Mae ewyn gwyn ar donnau y môr
Ewyn gwyn y tonnau
A gwyn yr wylan hithau
Yn dwyn i gof dy gariad di.

3   Mae awel fwyn ar fynydd y foel
Awel fwyn ar fynydd
A blodau y grug
Yn dwyn i gof dy gariad di.

Cytgan: Mae mefus ar dy wefus di
Mefus ar dy wefus di
Mefus ar dy wefus
Rhosyn ar dy rudd
Ti yw 'nghariad i.

99 Merch y Mynydd

1   Mae 'nghariad i yn trigo yn Eryri
Yn crwydro unigeddau'r llethrau llwm,
Godre'i gwisg yn siffrwd ar y mwsog
A'i llais yw llais yr awel yn y cwm.
Persawr blodau'r grug sydd i'm hanwylyd
A'i gwallt lliw cysgod clogwyn yn y llyn,
Mi garaf ferch y mynydd yn fy nghalon
A chanaf i gyfeiliant nant y glyn.

Cytgan: Pam mae merch y mynydd yn fy ngwrthod
A chrwydro'r unigeddau wrthi ei hun?
Ai am im droi fy nghefn ar wlad fy ngeni
A rhoi fy serch yn llwyr i estron un?

2 Mae urddas y canrifoedd yn ei cherdded,
   Costrelwyd gwin yr oesau yn ei gwaed,
   Gwyra cangau'r fedwen wrth ei gweled
   A thŷf y meillion gwyn yn ôl ei thraed.
   Mae'n galw arna i'n ôl o'm taith ddisberod
   I roi fy hun yn llwyr i'r hon a'm dug,
   Fel y gallwyf innau gerdded â'r hen urddas
   A charu merch y mynydd yn y grug.

100 Mi fûm yn Gweini Tymor

(Ar alaw 'I've got no use for women'!)
Pennill 1 a 2 yn draddodiadol. Pennill 3: Dafydd Iwan

1 Mi fûm yn gweini tymor
   Yn ymyl Ty'n y Coed
   A dyma'r lle difyrraf
   Y bûm i ynddo 'rioed
   Yr adar bach yn tiwnio
   A'r coed yn suo 'nghyd
   Fy nghalon fach a dorrodd
   Er gwaetha'r rhain i gyd.

2 Mae nghalon i cyn drymed
   Â'r march sy'n dringo'r rhiw
   Wrth geisio bod yn llawen
   Ni fedraf yn fy myw
   Mae'r esgid fach yn gwasgu
   Mewn man nas gwyddoch chi
   A llawer gofid meddwl
   Sy'n torri 'nghalon i.

3 Rwy'n treulio 'nyddiau yma
   A 'nghariad i sydd ymhell
   I'm blino daw atgofion
   Am ddedwydd ddyddiau gwell
   Daw atgof, fe ddaw hiraeth,
   Daw'r dagrau hwythau'n eu tro
   Wrth geisio bod yn llawen
   Rwy bron a mynd o 'ngho.

101 Mi Glywaf y Llais

Cyfansoddwyd ar gyfer Trebor Edwards

ly-gaid i we-led, a'r daith yn flin ac yn hir. Ni wydd-om pa be - ryg a

ddaw, es - tyn i min-nau dy law, a - ros am-da-naf ni

fe-draf i ger-dded fy hun. Mi

136

hun   a - ros am- da - naf ni   fe-draf i   ger-dded fy

hun.

1   Mi glywaf, mi glywaf y llais
     Yn galw, yn galw yn glir
     A minnau ar grwydr, ymhell o'm llwybr
     Ymhell o'm cynefin dir
     Yn dal i gerdded heb lygaid i weled
     A'r daith yn flin ac yn hir.

     Cytgan: Ni wyddom pa beryg a ddaw, estyn i minnau dy law,
                Aros amdanaf—ni fedraf i gerdded fy hun.

2   Mi glywaf, mi glywaf y llais
     Yn galw, yn galw o hyd
     A minnau'n ddi-hidio, yn dal i fynd heibio
     Yr ochr arall i'r stryd
     Heb aros i feddwl, na phoeni o gwbwl
     Am bwrpas fy nhaith yn y byd.

3   Mi glywaf, mi glywaf y llais
     Yn galw, yn galw mor fwyn
     Mae'i lais yn yr awel yn galw yn dawel
     Ym mrigau y goedlan a'r llwyn.
     Mae'i lais ar y ffriddoedd, ar erwau'r mynyddoedd
     Ar frynie a thyle a thwyn.

102 Mr Thomas, Os Gwelwch yn Dda

Un o ganeuon ymgyrch fawr yr arwyddion ffyrdd

1   Mi es am dro oho-o, hyd ffyrdd y fro,
Ar draws ac ar hyd,
I bedwar ban byd
I chwilio am bedair tref fach ddel,
Rhai digon twt, a fel a'r fel
A dyma fel bu,
A dyma fel bu.

Cytgan Mi es i chwilio am—
        Ddinbych a Chaergybi,
        Abertawe, Aberteifi
        Ond ni weles i mohonyn nhw,
        Dim hyd yn oed na be na bw,
        Er craffu'n agos ar bob post,
        A cherdded nes bo 'nhraed bach i'n dost,
        Ni welais i nhw,
        Ni welais i nhw.

        Dim ond Cardigan a Swansea,
        Holyhead a Denbigh,
        Dim ond y rhain weles i,
        Rhain yw dy Gymru di,
        O! Mr Tomos,* os gwelwch chi'n dda,
        Rhowch nhw lan cyn diwedd yr ha,
        Neu mi fydd yma le,
        Neu mi fydd yma le.

2   Mi es am dro oho-o, o do, oho-o
Hyd y llwybrau cul,
Rhyw fwrw Sul,
Ac i bob priffordd a phob lôn,
A thros pob clawdd o Fynwy i Fôn,
A dyma fel bu,
A dyma fel bu.

*Viscount Tonypandy, aelod er anrhydedd o Orsedd y Beirdd, a gwerinwr i'r carn

103 Myn Duw mi a wn y Daw

Mae gwaed y rhai fu'n brwydro
Ac a lifodd ar y gwellt
Ers talwm wedi'i olchi gan y glaw;
Ni chlywaf gân y daran,
Ni welaf gân y mellt,
Nid oes ond cri anobaith ar bob llaw.
Ymhle y mae Owain yn awr?
Ymhle y mae Owain yn awr?

Mae Owain, gyda'i filwyr,
Wedi cilio draw o'n gwlad,
Ac nid oes mwy ond atgof ar ei ôl.
Nid oes ond oer gelanedd
Lle gynt bu maes y gad,
Ac nid yw rhyddid mwy ond breuddwyd ffôl.

    Owain, ni ddaw yn ôl,
    Owain, ni ddaw yn ôl,
    Daw llanw wedi'r trai,
    Daw enfys wedi'r glaw,
    Ac wedi'r nos mi wn y wawr a ddaw.
    O! mi wn y daw Owain yn ôl—
    O! mi wn y daw Owain yn ôl,
    Fel llanw wedi'r trai
    Fel enfys wedi'r glaw
    Fel gwawrio wedi'r nos,
    Myn Duw, mi a wn y daw,
    Myn Duw, mi a wn y daw.

Nid yn ofer y bu'r brwydro,
Nid yn ofer y tywallt gwaed,
Mae eto fuddugoliaeth yn y gwynt.
Mi glywaf leisiau'r milwyr
Mi glywaf sŵn eu traed
Yn cerdded o Eryri ar eu hynt.
Rhowch heibio bob anobaith,
A'r holl amheuon lu,
Mae Owain eto'n barod am y dydd.
O'i loches yn Eryri,
Fe ddaw â'i ffyddlon lu,
I'n harwain gyda'r wawr i Gymru rydd.
Fel llanw wedi trai,
Fel enfys wedi'r glaw,
Fel gwawrio wedi'r nos,
Myn Duw, mi a wn y daw,
Myn Duw, mi a wn y daw.

Ymrestrwn yn ei rengoedd,
A'r iaith Gymraeg yn arf;
Ni ddioddefwn warth caethiwed awr yn hwy.
Gorseddwn iaith ein tadau,
Dilëwn olion brad,
Dangoswn nad taeogion monom mwy!

    Rhown heibio bob anobaith,
    A'r holl amheuon lu,
    Mae Owain eto'n barod am y dydd.
    O'i loches yn Eryri.
    Fe ddaw â'i ffyddlon lu
    I'n harwain gyda'r wawr i Gymru rydd.
    Myn Duw, mi a wn y daw. (3)

104 Mynd yn ôl

(Tipyn o rocar!)

(Geiriau ac alaw Hefin Elis)

1   Daeth amser im anghofio'r
     Blynyddoedd a aeth heibio—
     Rwyf wedi setlo lawr i'r bywyd bras.
     Gwaith am naw bob bore
     Yn fy nillad gore
     Gweithio yn y swyddfa 'ngore glas.

     Rwy am gael bod yn Fasiwn,
     Rwy'n cadw lan 'da'r ffasiwn,
     Fy nghar i ydy'r gore yn y stryd.
     Rwy newydd gael dyrchafiad,
     Rwy'n disgwyl am gael codiad
     Ond rwy'n dechre cael llond bola ar fy myd—

     Cytgan: Rwy'n mynd yn ôl, nôl, nôl
             I'r dyddiau a fu
             Pan oedd pawb yn sôn am y Beatles ac LSD
             Rhowch imi wên, rwy'n mynd yn hen,
             Rwy'n canu'n y côr, mae 'ngwaed i'n oer,
             Tynnwch y botel Brylcreem mas o'r drôr.

2   Ffarwel i'r semi-dŷ
     A'r cylyr TV
     Rwy'n mynd gyda'r bois ar yr êl;
     Achosion da, mae'r rheini'n bla,
     Peidiwch gofyn imi fynd i'r jêl.

     Troi 'nghefn ar gyflog da—
     Rwy'n mynd i dyfu ffa,
     Rwy'n mynd i ddechrau comiwn yn y fro;
     Tyfu 'ngwallt yn hir
     Mynd yn ôl at y tir
     Peidiwch dweud fy mod i'n mynd o 'ngho—

105 Os na fydd 'na Gymru Yfory

Cytgan: Os na fydd 'na Gymru yfory
Os na fydd 'na Gymru ar ôl
Ni fydd pwrpas gofyn pam
Neu ar bwy neu beth roedd y bai
Os na fydd 'na Gymru yfory.

1 Beth ydi Cymru iti?
A beth ydi Cymru imi?
Cerdded llwybr troed ar draws y ddôl
Seinio mewn bob wythnos yn y lle dôl
Gwrando ar gytgan y gwynt ar y rhos
Chwilio am joban yn y papur bob nos
Dilyn yr afon i lawr at y llyn
Bodloni ar beint am fod pres yn brin
Adrodd telyneg i wanwyn y tir
Byw yn troi'n boendod am fod dyddiau'n rhy hir
Ai dyna yw Cymru iti?
Ai dyna yw Cymru imi?

2 Beth ydi Cymru iti?
Beth ydi Cymru imi?
Dweud bod carafanau yn niwsans ac yn bla
Breuddwydio am y dydd y bydd gen ti dŷ ha
Gresynu fod y pentre yn marw ar ei draed
Cenfigen at y Saeson yn berwi dy waed
Hiraethu 'rôl y ffrindie sydd ym mhedwar ban byd
Cwyno am y ffylied sy'n protestio o hyd
Pregethu am fod bratiaith yn merwino dy glyw
Llenwi ffurflen Saesneg i gael safon uwch o fyw
Ai dyna yw Cymru iti?
Ai dyma yw Cymru imi?

106 Oscar Romero

Yr Archesgob a laddwyd mewn Offeren yn San Salvador yn 1980. Cyfaill y tlawd, gelyn y gormeswr

Cytgan: Oscar Romero! Oscar Romero!
Dwedwch ei enw, holl dlodion y byd
Oscar Romero! Oscar Romero!
Dathlwn ei fywyd, mae'n fyw o hyd.

1 'Boed fy ngwaed i yn hedyn eich rhyddid
Boed i'm gobaith droi yn ffaith
Mae fy ffydd i yn Nuw y bywyd
Gyda'r tlodion y mae fy ngwaith'.

2 Fe'i saethwyd yn farw â bwled asasin
Gerbron yr allor yn San Salvador
Bwled a brynwyd gan bres y Gorllewin
Gelynion y werin yn El Salvador.

3 Mae ysbryd Romero yn fyw yn ei eiriau
Yn fyw yn ei gariad, yn fyw yn ei waith
'Boed fy ngwaed i yn hedyn eich rhyddid
Boed i'm gobaith droi yn ffaith'.

107 Padi, Joci a Taffi

Un o ganeuon 'Bwrw Mlaen' i ddysgwyr

Beth maen nhw'n ddweud?
Beth maen nhw'n ddweud?

Padi wedi meddwi
Padi'n siarad dwli
Padi'n byw mewn tlodi—Padi!
Pwy wyt ti Padi?
Pwy wyt ti Padi?

Beth maen nhw'n ddweud?
Beth maen nhw'n ddweud?

Joci'n yfed whisgi
Joci'n gwrthod talu
Cilt a tam-o-shanti-Joci!
Pwy wyt ti Joci?
Pwy wyt ti Joci?

Beth maen nhw'n ddweud?
Beth maen nhw'n ddweud?

Taffi'n gallu canu
Taffi'n chwarae rygbi
Taffi'n dwyn dy bres di—Taffi!
Pwy wyt ti Taffi?
Pwy wyt ti Taffi?

Ti a fi yw Padi
Ti a fi yw Joci
Ti a fi yw Taffi.

108 Pam fod Eira'n Wyn?

♩ = 120 (doh = G)

Pan fydd haul ar y my-nydd, pan fydd gwynt ar y môr, pan fydd blo-dau yn y

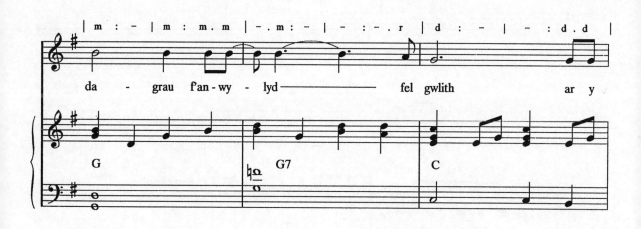

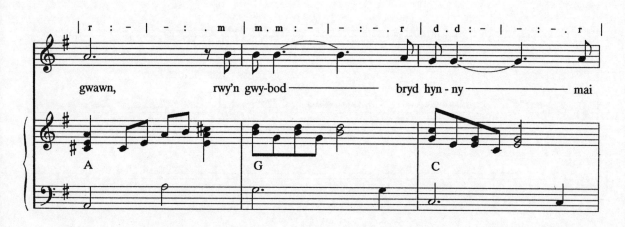

144

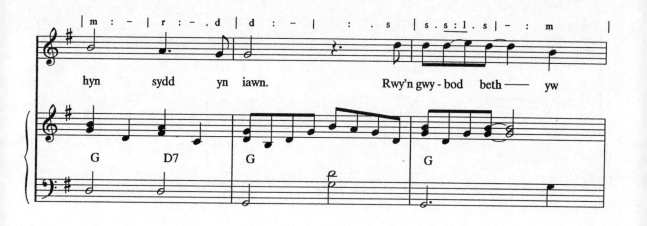

|m : - |r : - .d |d : - | : .s |s . s : l . s |- : m |

hyn sydd yn iawn. Rwy'n gwy - bod beth — yw

G   D7   G   G

|d . d : - | - : .s |s . s : l . s |- : m .d | - : - | - : .s |

rhy - ddid ———— rwy'n gwy - bod beth —— yw'r gwir ———— rwy'n

C   G   C

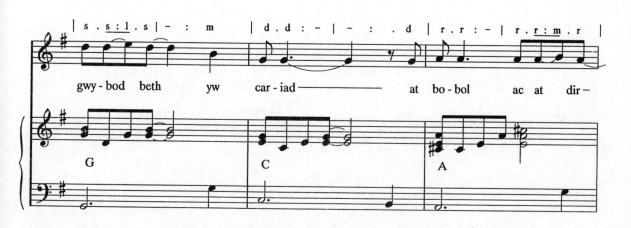

|s . s : l . s |- : m |d . d : - | - : .d |r . r : - |r . r : m . r |

gwy - bod beth yw car - iad ———— at bo - bol ac at dir —

G   C   A

felly peid-iwch â go-fyn eich cwest-iyn-au dwl —— peid-iwch

A7   G   D   Em

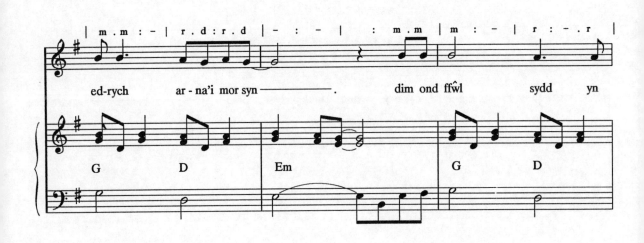

ed-rych ar-na'i mor syn————. dim ond ffŵl sydd yn

G   D   Em   G   D

1,2

go-fyn———— pam fod ei —— ra yn wyn.

Em   C   G

146

1   Pan fydd haul ar y mynydd,
      Pan fydd gwynt ar y môr,
      Pan fydd blodau yn y perthi,
      A'r goedwig yn gôr.
      Pan fydd dagrau f'anwylyd
      Fel gwlith ar y gwawn,
      Rwy'n gwybod, bryd hynny,
      Mai hyn sydd yn iawn.

      Cytgan: Rwy'n gwybod beth yw rhyddid,
              Rwy'n gwybod beth yw'r gwir,
              Rwy'n gwybod beth yw cariad
              At bobol ac at dir;
              Felly peidiwch â gofyn eich cwestiynau dwl,
              Peidiwch edrych arna'i mor syn
              Dim ond ffŵl sydd yn gofyn
              Pam fod eira yn wyn.

2   Pan fydd geiriau fy nghyfeillion
      Yn felys fel y gwin,
      A'r seiniau mwyn, cynefin,
      Yn dawnsio ar eu min,
      Pan fydd nodau hen alaw
      Yn lleddfu fy nghlyw,
      Rwy'n gwybod beth yw perthyn
      Ac rwy'n gwybod beth yw byw!

3   Pan welaf graith y glöwr,
      A'r gwaed ar y garreg las,
      Pan welaf lle bu'r tyddynnwr
      Yn cribo gwair i'w dâs.
      Pan welaf bren y gorthrwm
      Am wddf y bachgen tlawd,
      Rwy'n gwybod bod rhaid i minnau
      Sefyll dros fy mrawd.

109 Pan Glywaf Gân y Clychau

1   Pan glywaf gân y clychau
    Yn ysgafn ar y gwynt,
    Mi glywaf swn dy chwerthin
    Yn dod o'r dyddiau gynt
    Ata i'n ôl, ata i'n ôl.

2   Pan welaf blu yr eira
    Yn disgyn ar gangau'r coed,
    Mi dybiaf weld dy wyneb
    A chlywed swn dy droed
    Yn dod yn ôl, yn dod yn ôl.

3   Ond pan fo'r haul yn machlud
    Fel tân i wely'r lli,
    Dywed cwyn y tonnau
    Na ddaw fy nghariad i
    Fyth yn ôl, fyth yn ôl.

4   Ond pan fo'r wawr yn torri
    A'r golau'n deffro'r dwr,
    Daw gobaith lond fy nghalon,
    A gwn yn ddigon siwr
    Y doi di'n ôl, y doi di'n ôl.

110 Parodi ar 'Eifionydd'

—gydag ymddiheuriadau i R.Williams Parry

1   O olwg hagrwch Cynnydd
    Mae wyneb trist y Graith,
    A bro rhwng môr a mynydd
    Heb ynddi swydd na gwaith,
    Ond ambell glarc sy'n dal ar ôl
    I seinio'r hogia ar y dôl.

2   Draw o ymryson ynfyd
    Chwerw'r newyddfyd blin,
    Mae yno oglau'r cynfyd
    Yn suro fel hen win.
    Hen, hen yw wyneb llawer Mam
    Sydd rhwng dau fywyd yn Nerwen Gam.

3   A llonydd gorffenedig
    Yw llonydd y felin goed
    O fwa'i tho pydredig
    I'r concrid dan fy nhroed.
    I fos na gwas ni weithia ddim,
    A hynny sydd yn uffern im.

4   Mor drist yw cerdded lonydd
    Y tawel gwmwd hwn,
    A'r dyffryn distaw llonydd
    Yw dull y byd a wn.
    Rhodiaf ei heddwch yng nghwmni'r criw
    A holi beth yw pwrpas byw.

111 Parodi ar 'Hon'

gydag ymddiheuriadau i T.H.Parry-Williams

Beth yw'r ots gennyf i am Loegr? Damwain a hap
Yw fy mod yn ei libart yn byw. Nid yw hon ar fap

Yn ddim byd ond cilcyn o ynys mewn culfor cefn,
Ac yn dipyn o boendod i'r rhai sy' am newid y drefn.

A phwy sy'n trigo'n y fangre, dwedwch i mi.
Pwy ond mwngreliaid o boblach? Peidiwch, da chwi,

Â sôn am wladwriaeth a chymanwlad ac ymerodraeth o hyd:
Mae digon o'r rhain, heb Brydain, i'w cael yn y byd.

Rwyf wedi alaru ers talwm ar glywed grŵn
Y Saeson bondigrybwyll, yn cadw sŵn.

Mi af am dro, i osgoi eu lleferydd a'u llên,
Yn ôl i'm cynefin gynt, a'm dychymyg yn drên.

A dyma fi yno. Diolch am fod ar goll
Ymhell o gyffro geiriau'r imperialwyr oll.

Dyma'r Wyddfa a'i chriw; dyma bebyll a charafanau'r tir;
Dyma'r llyn a'r cychod a'r clogwyn; ac ar fy ngwir,

Dacw'r tŷ haf lle'm ganed. Ac wele, rhwng llawr a ne
Mae lleisiau'r trefedigaethwyr yn llenwi'r lle.

Rwy'n dechrau simsanu braidd; ac meddaf i chwi,
Mae rhyw ysictod fel petai'n dod drosof i.

A chlywaf grafangau Lloegr yn dirdynnu fy mron.
Duw a'm gwaredo, ni allaf ddianc rhag hon.

112 Peidiwch Gofyn i mi Ddangos fy Ochr

Cenais hon droeon gyda Ray Gravell—un sydd yn fodlon dangos ei ochr

Cytgan: Peidiwch gofyn imi ddangos fy ochr,
Peidiwch gofyn imi ddangos fy lliw.
Mae pawb yn gwybod 'mod i'n hen foi iawn
Ac yn fachan bach digon triw.

1   Mi wisga'i genhinen yn fy ngwasgod
Ar fore Dydd Gŵyl Dewi Sant,
Mi gana'i 'Hen Wlad fy Nhadau'
Ac mi ddysga'i Gymraeg i'r plant.
Ond does dim eisie cario pethe'n rhy bell,
Mae pawb eisie byw yn y byd
Ac mae posib dod ymlaen gyda phobol yn well
Drwy beidio bod yn Gymro o hyd.

2   Rwy'n ddilynwr mawr i dîm rygbi Cymru
'Bread of 'Eaven' ac i 'I Bob Un',
Ac os bydda'i wedi cael peint neu ddau
Mi roddaf 'Bw!' fach i 'God Save the Queen'.
Rwy wedi prynu crys coch i'r mab ienga,
Pêl rygbi fach blastig i'w frawd,
Wedi prynu recordie Max Boyce i gyd,
Ac yn dilyn holl droeon ei rawd.

3   Rych chi'n saff o fy fôt i bob amser
Ond alla'i byth roi sticer ar y car,
Mae pobol bwysig drws nesa
Ac mae'r bos yn chwythu lawr fy ngwar.
O does dim isho cario petha'n rhy bell
Mae pawb isho byw yn y byd,
Ac mae posib dod ymlaen efo pobol yn well
Drwy beidio bod yn Gymro o hyd.

113 Peintio'r Byd yn Wyrdd

1 Ffarwel i blygu glin
   A llyfu tin y Sais,
   Ffarwel daeogrwydd blin,
   Fe waeddwn ag un llais;

   Cytgan: I'r caeau awn â'n cân
              A bloeddiwn yn y ffyrdd,
              Rhown Gymru oll ar dân*
              A pheintio'r byd yn wyrdd,
              Cawn beintio'r byd yn wyrdd, hogia,
              Peintio'r byd yn wyrdd;
              Rhown Gymru oll ar dân hogia,*
              A pheintio'r byd yn wyrdd.

2 Wrth edrych ar y graith
   Ar dalcen balch y Ddraig,
   Ymladdwn dros yr iaith
   Gwnawn bopeth yn Gymraeg.

3 Daeth heddlu cudd a'u brad
   I daflu'r bois i'r gell,—
   Er carchar a sarhad
   Dyw'n rhyddid ddim ymhell.

4 Fe welsom reibio'n plwy
   A Thrywerynnu'n stad,
   Ond ni fydd hynny mwy
   Cawsom ddigon ar sarhad!

* *A siarad yn ffigyrol, wrth reswm pawb!*

114 Rwy'n Gweld y Dydd

(1966)

♩ = 116 (doh = A)

A   **D**   **A**

O mae ne-wid yn y gwynt, a chyn hir fe dyrr y wawr, Mae

E7

holl ie-uenc-tid Cym-ru o For-gan-nwg i Gaer-gy-bi i gyd yn deff-ro

A   **A7**   **D**

nawr, mae ys-bryd ne-wydd yn y tir a Chym-ry'n deff-ro i'w

A   **E7**

tasg, Wrth gof-io am fer-thy-ron ac ar-wyr dewr I-wer-ddon han-ner

A   **A7**   **D**

can-rif yn ôl i'r Pasg. O rwy'n gweld, rwy'n gweld y

A

dydd bydd Cym-ru yn Gym-ru rydd a

E7   **A**   **D**   **A**

phawb o fewn ein gwlad yn sia-rad Cym-raeg.

1   O mae newid yn y gwynt,
      A chyn hir fe dyrr y wawr,
      Mae holl ieuenctid Cymru, o Forgannwg i Gaergybi
      I gyd yn deffro nawr,
      Mae ysbryd newydd yn y tir
      A Chymry'n deffro i'w tasg,
      Wrth gofio am ferthyron ac arwyr dewr Iwerddon
      Hanner canrif yn ôl i'r Pasg,

      Cytgan: O rwy'n gweld, rwy'n gweld y dydd
             Bydd Cymru yn Gymru rydd
             A phawb o fewn ein gwlad yn siarad Cymraeg.

2   Daw Llywelyn o Gilmeri draw,
      A Glyndŵr i flaen y gad:
      Diosgwn glog y taeog, a rhagom awn yn dalog
      I fynnu parch i'n gwlad.
      Wrth gofio am Benyberth
      A Thryweryn o dan y dŵr,
      Ni allwn lai na brwydro i achub cam y Cymro—
      Rhaid ymladd fel un gŵr.

3   Mae'r iaith yn codi'i phen
      O gors cywilydd hir,
      A mynnwn ninnau siarad heb ofni brifo teimlad—
      Rhaid yw gweld yn glir.
      Er mwyn y rhai a fu mewn cell
      Ac yn newynnu heb ddim rhaid
      A'r rhai a fu mewn llysoedd yn diodde gwawd y cyhoedd
      Codwn Gymru ar ei thraed.

115 Sam

Dwn i ar y ddaear pwy oedd Sam druan!

1   Bywyd unig oedd bywyd Sam,
      Ynghlwm wrth linynnau ffedog ei fam,
      Yna daeth Gwen i lanw'i fryd,
      A dyma'i gân o hyd ac o hyd.

      Cytgan: Gwen O! Gwen, mae 'mreichiau i
             Heno'n aros amdanat ti,
             Gwen O! Gwen O! gwrando nawr,
             Mae'r nos yn ddu cyn toriad y wawr.

2 Wedi i Sam dyfu'n ddyn
Fe drigai mewn bwthyn ar ei ben ei hun,
Ac wrth iddo gerdded ar draws y rhos
Yr un oedd ei gân o fore hyd nos.

3 Roedd calon Sam wedi torri'n ddwy
A dim ond un allai wella'i glwy
Ac er na ddaeth hi'n ôl ato ef,
Ar hyd ei oes yr un oedd ei lef.

4 Heno mae Sam ym mynwent y Llan
A chysgod yr ywen yn drwm dros y fan,
Ond eto fe glywir pan fo'r lleuad uwchben
Ei alwad drist yn esgyn i'r nen.

116 Safwn Gyda'n Gilydd

I chwarelwyr a chwarelwragedd dewr y Blaenau, 1986.

1 Nid gofyn wnawn am gardod, na gofyn ffafr chwaith,
Ond gofyn am ein haeddiant am ddiwrnod o waith,
Er mwyn y rhai fu'n aberth i lwch y garreg las
Er mwyn y rhai fu'n brwydro ar graig a ffridd a ffâs.

Cytgan: —Safwn gyda'n gilydd,
Safwn fel un gŵr,
Safwn gyda'n gilydd fel un gŵr.

2 Aeth wythnos arall heibio heb sôn am 'bapur bach'
Rhaid sefyll ar y biced a byw ar awyr iach
Rhaid peidio gwangalonni, na phlygu dan y straen
O freichiau ffrindiau ffyddlon daw'r nerth i gario 'mlaen.

Dafydd Iwan gydag Ar Log a Chôr Penyberth a Hefin Elis wrth y piano,
Pafiliwn Corwen, Gorffennaf 1988

117 Siarad â Ti a Mi

-fyn - nodd i mi ga - ru —— fy nge - lyn, do ond paid â go - fyn i mi wneud hyn - ny nawr, Does dim lle'n y lle - ty —— i - ddo nawr Mae'n sia - rad —— â ti a mi, mae'n sia - rad —— â ti a mi.

1   Rwy'n cofio geni'r baban, y baban yn y gwair,
Rwy'n cofio geni'r baban, baban i Joseff a Mair,
A'r Iesu oedd ei enw Ef.
Ond tyfu a wnaeth i fod yn saer
A naddu a wnaeth bren y Gair
Sy'n siarad â ti a mi
Siarad â ti a mi

     —gofynnodd i mi rannu fy nghyfoeth, do
     —gofynnodd i mi siarad â'r pechadur, do
     —gofynnodd i mi garu fy ngelyn, do
     —ond paid â gofyn i mi wneud hynny'n awr
     —does dim lle'n y llety iddo'n awr

Mae'n siarad â ti a mi
Mae'n siarad â ti a mi.

2   Rwy'n cofio cân angylion i'r bugeiliaid yn y maes
Rwy'n cofio taith y doethion, rwy'n cofio'u hymgrymu llaes
A'r Iesu oedd ei enw Ef.
Ond tyfu a wnaeth i fod yn saer
A naddu a wnaeth bren y Gair
Sy'n siarad â ti a mi
Siarad â ti a mi

    —gofynnodd i mi droi'r foch arall, do
    —gofynnodd i mi gerdded yr ail filltir, do
    —gofynnodd i mi garu fy ngelyn, do
    —ond paid â disgwyl i mi wneud hynny'n awr
    —does dim lle'n y llety iddo'n awr

Mae'n siarad â ti a mi
Mae'n siarad â ti a mi

3   Mae deigryn yn llygad Mair, mae wyneb Joseff yn drist
Does dim lle'n y llety i'r baban Iesu Grist
Does dim lle'n y llety i faban Mair
Am i'r baban ddwedyd y Gair
Sy'n siarad â ti a mi
Sy'n siarad â ti a mi.

118 Siôn a Siân

(Ar alaw 'Blue Tailed Fly')

Pan oedd hiwmor yn ddiniwed, a'r Noson Lawen yn fyw ac yn iach!

1   Dau gariad ydoedd Siôn a Siân,
Mae'n debyg i chi glywed amdanynt o'r blaen,
Rwy'n siŵr nad oes neb o Gymru i Sbaen
Sy'n cwympo mas mor amal â'r rhain.

Cytgan: Cer i ffwrdd, 'sdim ots 'da fi,
           Cer i ffwrdd, 'sdim ots 'da fi,
           Cer i ffwrdd, 'sdim ots 'da fi,
           Mae 'na ddigon o bysgod yn y môr.

2   Rhyw ddiwrnod eisteddent ym mharc y dre
A merched o'u cwmpas ar hyd y lle,
Fe winciodd Siôn ar ryw gochen gerllaw
Gwylltiodd Siân a chiliodd draw.

3   Mewn caffe posh yng Nghaerdydd rhyw nos
Fe gollodd Siôn ei goffi dros ei ffrog fach dlos,
Bytheiriodd Siân eiriau cas
Rhoiodd glustan i'w chariad, a rhedodd mas.

4   Rhyw ddiwrnod eisteddent ar fin y llyn,
Gan gydio law yn llaw yn dynn,
Wrth i Siôn druan gynnig ei hun iddi'n ŵr
Fe gas hi gymaint o ofan, fe neidiodd i'r dŵr.

119 Stôl i Ddau

(Ar alaw 'Seven Bonnie Lassies from Bannion')

Cân fach handi ar gyfer dysgwyr

1   Roedd 'na ferch fach yn byw yn yr Hafod
Yr Hafod (3)
Roedd 'na ferch fach yn byw yn yr Hafod,
Y lanaf o ferched y byd (2).

2   Un bore fe'i gwelais hi'n godro
Yn godro (3)
Un bore fe'i gwelais hi'n godro,
A gofynnais 'Wyt ti eisie help llaw?' (2)

3   Atebodd, 'Oes gennych chi stôl syr?' (2)
Stôl syr (3)
Atebodd, 'Oes gennych chi stôl syr?
Does dim lle ar hon i ddau'. (2)

4   Wedyn mi aethom am dro bach,
Am dro bach (3)
Wedyn mi aethom am dro bach
I ymyl yr hen domen dail. (2)

5   Ac yno ces galon i ofyn,
I ofyn (3)
Ac yno ces galon i ofyn,
'F'anwylyd, wnei di 'mhriodi i?' (2)

6   Eisteddodd am dipyn i feddwl,
I feddwl (100!)
Ac yna, gan wenu, dywedodd
'Mae 'na le ar y stôl i ddau!' (2)

120 Sul y Blodau

I gofio anfadwaith 'Operation Tân', Sul y Blodau 1980

Cytgan: Sul y blodau, Sul y blodau,
Roedd Cymru'n cysgu'n drwm.
Sul y blodau, Sul y blodau,
Daeth y gelyn i fyny'r cwm.

1 Glywaist ti'r drws yn malu?
Glywais ti'r waedd yn y nos?
Glywaist ti'r fam yn wylo?
Glywais ti'r waedd yn y nos?
Glywaist ti'r plentyn yn crio?
Glywais ti'r waedd yn y nos?

Cytgan: Sul y blodau, Sul y blodau,
Mae'r gelyn yn y tŷ,
Daeth Sul y blodau i ti a minnau—
Gymru, wele ni!

2 Welaist ti gysgod y barrau?
Glywaist ti'r waedd yn y nos?
Glywaist ti sŵn y cadwynau?
Glywaist ti'r waedd yn y nos?

Cytgan: Sul y blodau, Sul y blodau,
Mae'r gelyn yn y tŷ,
Daeth Sul y blodau i ti a minnau—
Gymru, wele ni!

121 Tedi, Nos Da

Cyfansoddwyd ar gyfer un o raglenni plant, Marged Elin, HTV. Oes rhywun yn cofio'r alaw?

1 Tedi, nos da!
Tedi, nos da!
Mae'r draenog yn cysgu
Yng nghysgod y ffa.
Mae'r adar yn ddistaw
Yn nythod y coed,
A'r machlud yn harddach
Nag a welwyd erioed.
Tedi, nos da!
Tedi, nos da!

2 Dos i gysgu nawr,
Dos i gysgu nawr,
Cei orwedd yn dawel
Tan doriad y wawr,
Fe gei di freuddwydion
Yn dy wely bach clyd,
Am blant bach yn chwarae
Ar gaeau'r Wlad Hud.
Dos i gysgu yn awr,
Dos i gysgu yn awr.

3 Cei ddeffro cyn hir,
Cei ddeffro cyn hir,
A gweled y bore
Yn cerdded y tir,
Cei glywed yr adar
Yn uchel eu cloch,
A theimlo yr awel
Yn cosi dy foch,
Cei ddeffro cyn hir,
Cei ddeffro cyn hir.

122 Tra bo Hedydd

1 Mae 'na lawer trai a llanw
Wedi golchi dros ein tir
Malwyd gobeithion, chwalwyd breuddwydion
A chelwydd yn cuddio'r gwir
Ond mae'r creigiau eto'n aros
Yn dyst i'r oesau a fu
Er mor ddwfn yw y creithiau
Fe glywn eto'r lleisiau
Yn atsain o'r clogwyn du.

Cytgan: Tra bo hedydd ar y mynydd
Tra bo ewyn ar y don
Tra bo glas yn nwfn dy lygaid
Mi wn mai ni piau hon.

2 Y mae sŵn ym mrig y morwydd
A sibrwd yn y brwyn a'r hesg
Ac awel y mynydd yn deffro o'r newydd
Y gobaith mewn cenedl lesg.
Fe ddaw'r ddawn o ddwfn y galon*
Ar hen aelwyd cyneuwn y tân*
Er mor ddwfn yw y creithiau
Fe glywn eto'r lleisiau
Yn canu yr hen hen gân.

*diolch i Waldo

123 Twicers 1980

Ar ôl anfon Paul Ringer o'r cae, ni fu pethe fyth yr un fath!

I'w hadrodd, ar fydr sydd braidd yn amheus

Aeth tîm o Wlad y Gân rhyw bnawn Dydd Sadwrn
I Twicenham i chware tîm y Sais
A'u bryd ar chware rygbi agored
Ac ennill y gêm yn deg yn y dull di-drais
Ond bu'r Wasg yn creu bwganod lu yn ddyfal
Gan beintio darlun du a darogan gwae
A rhag ofn i'r ornest fod yn anghyfartal
Penderfynwyd gyrru Cymro oddi ar y cae.

Mae papure newydd Lloegr yn bytheirio
Fod bois y cryse coch yn chware'n frwnt
Maen nhw'n meddwl fod Paul Ringer yn arfer treino
Wrth redeg mewn i'r creigie lawr ym Mwnt
Mae nhw'n ame fod Jeff Wheel ac Alan Martin
Yn byta Saeson ffresh i ginio pnawn
Ac fod Graham Price yn byta Sais i bwdin
Cyn torri gwynt i ddweud fod ei fola'n llawn.

Mae sôn bod Undeb Lloegr nawr yn eiddgar
I newid y rheolau bob yn un.
Cyfyngu tîm Cymru i ddim ond pedwar
A chodi nifer Lloegr i gant ac un
Maen nhw am ofyn i Prins Charles fod yn ganolwr
Gan ei fod e yn un ohonyn nhw,
A chael y Cwîn a Dug Caeredin fel ystlyswyr
A pheintio'r llinell gais yn Red White a Blŵ.

Sdim ots eu bod nhw nawr am gau y pylle
Sdim ots eu bod nhw am gau y gweithie dur
Sdim ots na fydd 'na ffatri ar ôl yn unlle
Mae'r Cymry wedi arfer â phoen a chur.
Y broblem fawr sy'n wynebu Ynys Prydain
Yw sut i godi Lloegr yn ei hôl
Gan mai hi yn unig sydd i fod i arwain
Rhaid ei helpu i sgorio cais ac ambell gôl.

Cytgan: O cofiwch bois mai gêm y Sais yw rygbi
        Ac mai gêm yw hi i *fairies* gwyn a phlant
        Ac mai'r unig obaith nawr i rygbi Cymru
        Yw cael pymtheg bachgen glân fel Dewi Sant.

124 Tyrd am Dro hyd y Llwybr Troed

Un o ganeuon cynta Cwm Rhyd-y-Rhosyn

Cytgan: Tyrd am dro hyd y llwybr troed,
Sy'n cychwyn wrth dalcen y tŷ
Ac yna fe gei di weled
Rhyfeddodau lu.

1 Fe gei di weld yr afon fach
Sydd â'i dŵr fel grisial clir,
Fe gei di weld y brithyll
Wrth y dwsin, ar fy ngwir.
Fe gei di weld yr iâr fach ddŵr
Yn nofio rhwng y brwyn,
A'r draenog bach diniwed
Yn cerdded wysg ei drwyn.

2 Fe gei di weld y ddafad ddu
Sy'n pori ar y ddôl,
A'r ebol bach yn rhedeg lawr y cae
Ac yn rhedeg i fyny'n ôl.
Fe gei di weld yr adar
Yn cuddio rhwng y dail,
A chlywed cân mwyalchen
A bronfraith bob yn ail.

3 Fe gei di wneud teisennau
O bridd y dorlan draw,
A'u gosod dan wreiddiau'r dderwen
I'w cadw rhag y glaw.
Fe gawn ni redeg rasus
O lan yr afon i'r llwyni cnau,
Fydd neb yn gwybod dim am hyn—
Neb ond ni ein dau.

125 Tyrd am Dro i'r Coed

Yng Nghwm Rhyd-y-Rhosyn

1   Tyrd am dro i weld nythod y brain,
    A darnau bach o wlân ar y drain,
    A gweld y wiwer a'i chlustiau bach main
    Pan awn am dro i'r coed.

    Cytgan: Tyrd, tyrd, tyrd am dro
           Tyrd am dro i'r coed
           Tyrd, tyrd, tyrd am dro,
           Tyrd am dro i'r coed.

2   Cawn wrando ar drydar yr adar i gyd,
    A chlywed straeon o bedwar ban byd,
    Bydd stori newydd i'w chlywed o hyd
    Pan awn am dro i'r coed.

3   Cawn holi beth yw oedran yr hen dderwen fawr,
    A dringo i'w brigau a theimlo fel cawr,
    Ac yna ar ras am y cyntaf i lawr
    Pan awn am dro i'r coed.

4   Cawn wrando ar yr awel ym mrigau y coed,
    A chlywed caneuon na chlywsom erioed,
    Cawn weled cariadon yn cadw yr oed
    Pan awn am dro i'r coed.

126 Tywysog Tangnefedd

'Beth yw trefnu teyrnas? Crefft
  Sydd eto'n cropian.
A'i harfogi? Rhoi'r cyllyll
Yn llaw'r baban'—Waldo Williams

1   Pwy sydd yn barnu â geiriau cas
    Y bechgyn di-reol a'r merched di-ras,
    Sy'n meiddio herio deddfau dyn
    A luniwyd ganddo er ei fwyn ei hun?

    Cytgan: Ac awn ninnau i'r siopau y Nadolig hwn
           I brynu y tanciau, i brynu y gwn,
           A'u rhoi nhw i'r plantos, a'u cyfarch yn rhwydd—
           'Mae Tywysog Tangnefedd yn dathlu'i benblwydd.'

2   Beth yw'r ots os yw'r bomiau yn lladd y plant bach?
    Beth yw'r ots am y napalm os yw 'nghroen i yn iach?
    Rhyfel yw'r lluniau rwy'n eu gweld ar y sgrîn,
    A gwn yw'r peth plastig gan y mab ar ei lin.

3   Fe dalwn ein trethi i gyllid y wlad
    I gadw'r milwyr sy'n amddiffyn ein stad,
    Fel y gallan nhw ddysgu celfyddyd y gwn,
    I warchod ein rhyddid y Nadolig hwn.

4   'Mae'n gas gen i 'violence', rwy'n credu mewn Trefn,
    Mae'n well gen i rebel ar wastad ei gefn,
    Llonyddwch yw heddwch, paid â chodi dy lais,
    Mae pawb sydd i'm herbyn yn euog o drais.'

127 Weithiau Bydd y Fflam

1   Weithiau bydd y fflam yn llosgi'n isel yn y lamp,
    Weithiau bydd fy nghalon innau'n drom,
    Weithiau bydd y dagrau'n mynnu llifo'n rhydd
    Wrth weld dim ond y 'noeth amlinell lom'.*

    Cytgan: Mae'r gaeaf oer yn cau amdanaf heno,
          Mae'r gwynt yn gwneud lluwchfeydd o'r eira gwyn,
          Ond fe ddaw'r heulwen eto fory i doddi'r amdo hwn
          A chaf weld daear las fy mro drachefn.

2   Weithiau bydd yr awel yn wylo wrth fy nrws,
    Minnau'n gweld cysgodion ar bob llaw,
    Weithiau bydd cymylau yn cuddio golau'r haul
    A hiraeth ym mhob un o ddafnau'r glaw.

3   Weithiau daw meddyliau am hen orffennol pell,
    Hiraeth am y dyddiau na ddaw'n ôl,
    Pan oedd yr iaith yn burach a Chymru'n Gymru well,
    Ond gwn mai ofer yw'r hiraethu ffôl.

* *Chwedl T.H.Parry-Williams*

128 Weli di Gymru?

Dyw pethe ddim yn newid . . .

1   Ti yn dy swyddfa yn Neuadd y Dre,
    Yn meddwl mai ffurflen sy'n rhoi'r byd yn ei le;
    Cyfod o'th gadair a sâf ar dy draed
    Fel y gallwn ni weled ai coch yw dy waed.

    Cytgan: O! weli di, weli di Gymru?
            Weli di, weli di hi?
            Pwy all ei hachub os na wnei di?

2   Ti ar dy gyngor â'th bwysau mor fawr,
    Dy air sy'n rheoli y machlud a'r wawr;
    Y werin fach ddistaw mor syn wrth dy draed,
    Ond mae hithau'n dechrau amau ai coch yw dy waed.

3   Ti yn dy swyddfa â'th sigâr yn dy geg,
    Yn rhedeg dy gwmni drwy drais neu drwy deg;
    Dy gaethwas yw'r gweithiwr a'th roes ar dy draed,
    Ond mae yntau'n dechrau amau ai coch yw dy waed.

4   Ti yn dy frawdlys â'th awdurdod mor fawr,
    'Run lliw yw dy glogyn â'r gwaed fu ar lawr;
    Hualau Prydeindod sy'n clymu dy draed,
    A'r Cymro nawr yn gofyn ai coch yw dy waed.

5   Ti yn dy senedd mor bell o dy wlad,
    Teyrngarwch i'r Arglwyddi a'th brynodd mor rhad;
    Pleidlais y werin a'th roes ar dy draed,
    Ond mae hithau'n dechrau amau ai coch yw dy waed.

6   Ti yn dy garchar mor bell o dy wlad
    Yn dioddef y dirmyg, y gwawd a'r sarhad
    Mae Cymru o'r diwedd yn dechrau sefyll ar ei thraed
    Am mai syth yw dy gefen, ac am mai coch yw dy waed.

129 Wiliam

Un o feibion Carlo

1   Mi ganaf fy nghân
    Am hogyn bach glân
    Mewn bonet o wlân—sef Wiliam
    Mae'n byw mewn tŷ mawr
    Ar y trydydd llawr
    Mae o'n cysgu yn awr—'rhen Wiliam.

2   Llwy aur yn ei geg
    A mam tylwyth teg
    Ni chlywith o reg—ond 'Wiliam'
    Mae ei bedigri'n faith
    A'i ben-ôl bach yn llaith
    A'i Dad yn ddi-waith—O Wiliam.

    Cytgan: Pan fydd wedi tyfu fe welith o lyfu
            Ymgreinio a chrafu—i Wiliam
            Bydd ei drên yn llawn grefi
            A'i wallt o yn wefi,
            Caiff ymuno a'r Nefi—'rhen Wiliam.

3   Caiff addysg o sylwedd
    Mewn hen ysgol fonedd
    Lle maen nhw'n gwneud pethe rhyfedd—i Wiliam
    Mi ddysgith o ddringo,
    Hedfan a hwylio
    Saethu adar i ginio—'rhen Wiliam.

    Cytgan: Falle ichi gredu mai pobol yw pobol
            Ac fod pawb yr un fath yn y bôn
            Falle ichi gredu fod pawb yn gyfartal
            A'n hawliau run peth yn y bôn
            Ond mae'n ddrwg gen i'ch siomi
            Mi wn i am fabi sy'n llawer mwy cyfartal na chi—sef Wiliam!

130 Wrth Feddwl am fy Nghymru

Y gân gyntaf imi gyfansoddi yn alaw a geiriau

Rwy'n cof - io Lly - we - lyn, by - ddi - noedd Glyn - dŵr yn ym - ladd dros ry - ddid ein gwlad ond

caeth-ion —— y'm e - to —— dan ba - wen —— y Sais —— mor

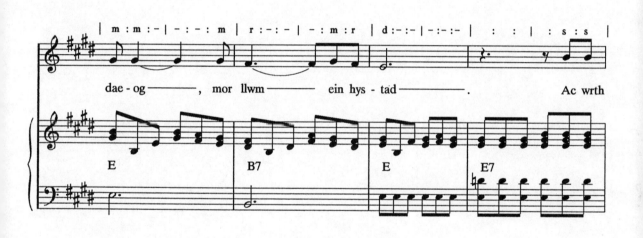

dae - og ——, mor llwm —— ein hys - tad ——. Ac wrth

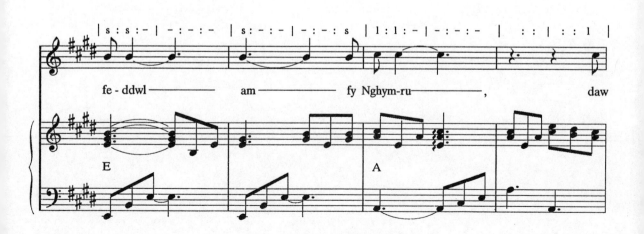

fe - ddwl —— am —— fy Nghym-ru ——, daw

gwa-yw i'm ca - lon i , dyw'r

E   B7

we - rin ddim di - gon o ddyn-ion bois i

E   A

fyn - nu ei rhy - ddid hi .

E   B7   E   A

fyn-nu —— ei rhy-ddid —— hi .

1   Rwy'n cofio Llywelyn, byddinoedd Glyndŵr
    Yn ymladd dros ryddid ein gwlad,
    Ond caethion y'm eto dan bawen y Sais,
    Mor daeog, mor llwm ein hystad.

    Cytgan: Ac wrth feddwl am fy Nghymru
           Daw gwayw i'm calon i
           Dyw'r werin ddim digon o ddynion bois,
           I fynnu ei rhyddid hi.

3   Wrth edrych o'th gwmpas fe weli
    Fod yr heniaith yn cilio o'r tir;
    Ni chlywir un acen, ni chlywir un gair
    O iaith ein cyndadau cyn hir.

3   Mae argae ar draws Cwm Tryweryn
    Yn gofgolofn i'n llyfrdra ni;
    Nac anghofiwn ddewrder ein hogia prin
    Aeth i garchar y Sais drosom ni.

4   Disgynnodd yr iau ar ein gwarrau,
    Ni allwn ni ddianc rhag hon—
    Mae arial y Celt yn byrlymu'n fy ngwaed
    A fflam Glyndŵr dan fy mron.

5   Wrth gofio Llywelyn ac Owain Glyndŵr
    Daw trydydd i'm meddwl yn awr,
    A'r gŵr o Langadog a lanwodd y bwlch
    O'r diwedd fe dorrodd y wawr.

131 Wyt ti'n Cofio

1 Wyt ti'n cofio'r tro ar fin y llyn?
   Y lleuad yn olau trwy frigau yr ynn.
   Wyt ti'n cofio edrych ar y sêr?
   Wyt ti'n cofio'r nos?

   Cytgan: Wyt ti'n cofio
            Wyt ti'n cofio'r nos?
            Dywed i mi wyt ti'n cofio'r nos.

2 Wyt ti'n cofio eistedd dan y coed?
   Cysgodion yr hwyr yn harddach nag erioed—
   Wyt ti'n cofio'r cusanau roist i mi?
   Wyt ti'n cofio'r nos?

3 Murmur yr awel yn y brigau uwch ben,
   Siffrwd y dail yng ngolau'r lleuad wen,
   Rhoddaist addewid dy gariad i mi—
   Wyt ti'n cofio'r nos?

4 Unig wyf heno yn crwydro min y llyn,
   Gan wylio y lleuad trwy frigau yr ynn,
   Daw atgof am y noson honno gynt—
   Wyt ti'n cofio'r nos?

132 Wylaf Fil o Ddagrau

(Alaw: 'Ten Thousand Miles')
I gofio Glenys o'r 'Pelydrau'

1 Wyt ti'n cofio troed yr allt, heulwen gwanwyn yn dy wallt,
Wyt ti'n cofio'r geiriau distaw ddwedaist ti?
Dilyn llwybr pen y bryn, cân yr adar yn yr ynn,
Wyt ti'n cofio'r gusan gyntaf gawsom ni?

Cytgan: Wylaf un, mi wylaf ddwy, wylaf dair, mi wylaf fwy,
Wylaf fil o ddagrau hallt o'th golli di.

2 Mynd am dro hyd lan y llyn, cydio llaw a gwasgu'n dynn,
Nid oedd neb ond ti a minnau yn y byd;
Dim ond cwmni mab a merch, ninnau ym mharadwys serch,
Ond cuddiodd cwmwl amser hyn i gyd.

3 Trodd y gwanwyn, do, yn haf, daeth i ben y dyddiau braf,
Daeth yr hydref i ddwyn y dail o goed y fro;
Aethost tithau gyda'r dail, ni welaf mwy dy wên ddi-ail,
Ni ddaw neb i'm tywys mwy hyd lwybrau serch.

133 Y Blewyn Gwyn

Mae'n syndod gymaint o effaith y gall un blewyn bach gwyn gael ar holl fywyd dyn (a benyw)...

1 Roedd fy wybren yn hollol ddigwmwl
A fi ydoedd brenin y byd
Doedd dim na allwn gyflawni
Ro'n i'n fistar ar bawb yn y stryd
Mi neidiwn yn rhwydd dros bob camfa
A rhedwn i gopa pob bryn
Ond torrais fy nghalon rhyw fore
Pan welais y blewyn gwyn...

Cytgan: O flewyn bach gwyn, o ble daethost ti
I beri'r fath ofid i fachan fel fi?
Sut y mentraist ti allan i ganol y du?
Nid oes flewyn bach arall run lliw â thydi!

2 Ro'n i'n treulio fy nyddiau yn hapus
Ro'n i'n ifanc ac ysgafn fy mron
Yn rhydd fel ehedydd y mynydd
Fel gwylan ar ysgwydd y don
Dim gwahaniaeth os oedd hi yn hindda
Neu'n bwrw hen wragedd a ffyn
Ond craciodd fy ysbryd y bore
Y gwelais y blewyn gwyn...

3 Mae ngherddediad yn dechrau arafu
A'm gwaed yn dechrau llifo'n oer
Does dim cymaint o wres yn yr heulwen
Na rhamant yng ngolau y lloer
Mae'r rhychau yn ddwfn yn fy nhalcen
A thannau fy nerfau yn dynn
A'r cyfan am imi ryw fore
Ganfod y blewyn gwyn...

Cytgan: addasiad o 'Lili Wen Fach', gyda diolch i Nantlais, ac amal i 'Steddfod

134 Y Chwe Chant a Naw

(Ar alaw Hefin Elis)

*—sef y rhai cyntaf erioed i fwrw'u pleidlais dros Blaid Genedlaethol Cymru, yn Etholiad Cyffredinol 1929. *Y Parch Lewis Valentine oedd yr ymgeisydd yn Sir Gaernarfon*

1   Canwn wrth gofio'r arloeswyr a fu
    Yn agor y cwysi yn y ddaear oer ddu
    Am gadw'r ffynhonnau yn lân rhag y baw
    Canwn â diolch i'r chwe chant a naw.

2   Mor anodd oedd sefyll yn nannedd y storm
    A dioddef y gwawdio, y sen a'r ysgorn,
    Ond byth nid anghofiwn, beth bynnag a ddaw
    Ffydd, cariad a gobaith y chwe chant a naw.

3   Daeth y gŵr o Ddeiniolen[†] mor welw ei wedd
    A'i ffydd oedd yn darian a'i obaith yn gledd,
    Fe gerddodd drwy'r ddrycin, y cenllysg a'r glaw
    I gyfarfod â'r ffyddlon, y chwe chant a naw.

4   Daeth y cawr o Landdulas* i arwain y gad
    I agor meddyliau i ryddid ein gwlad,
    Gwawdio wnâi'r bradwr, a'r taeog mewn braw
    Ond sefyll yn gadarn wnaeth y chwe chant a naw.

5   Canwn wrth gofio'r arloeswyr a fu
    Yn agor y cwysi yn y ddaear oer ddu
    Am gadw'r ffynhonnau yn lân rhag y baw
    Canwn â diolch i'r chwe chant a naw.

[†] *H.R.Jones, un o sylfaenwyr y Blaid a'i Hysgrifennydd cyntaf*

135 Y Dref a Gerais i Cyd

(Alaw a geiriau Phil Coulter—'The town I Loved so Well')
Trosiad Cymraeg Dafydd Iwan

1   Tra bo ynof chwyth
    Mi gofiaf fi byth
    Y dref lle y treuliais fy mebyd gynt,
    Sgorio gôl neu ddwy
    Ger wal yr hen waith nwy,
    A chael hwyl yn y mwg, y niwl a'r gwynt.
    Mynd tua thre drwy'r baw,
    Am y cyntaf yn y glaw,
    Heibio'r carchar a 'nôl tu cefn i'r Fountain.
    Ro'n nhw'n ddyddiau braf,
    Y gaeaf neu'r haf
    Yn y dref a gerais i cyd.

2   Bob bore am saith
Fe ganai corn y gwaith
I alw'r gwragedd o'r Creggan, Y Moor a'r Bogside,
A'u gwŷr ar y dôl
Yn gorfod aros ar ôl
Gwarchod y plant oedd eu rhaid.
A phan wasgai'r esgid fach
Roedd jest digon yn y sach
Buost fyw drwy'r c'ledi oll yn dawel
Am fod balchder cryf
Yn cynnal fflam y ffydd
Yn y dref a gerais i cyd.

3   Roedd 'na fiwsig a chân
Yn alaw'r Derry lân
Fel iaith oedd yn clymu pawb oll yn un,
Ac mi gofia'r paced pae
Cyntaf ar ddydd Iau
A minnau wedi tyfu yn ddyn.
Yno dysgais am fyw
Yno clywais am Dduw,
Yno cwrddais i â chymar oes,
Ond ymadael oedd raid
Â'r Creggan a'r Bogside
A'r dref a gerais i cyd.

4   Pan ddychwelais i,
Llifai'r dagrau'n lli
O weld sut y gallent dorri calon tre'
Gyda'r bidog a'r tanc
A bywyd llawer llanc
Ac ôl y bomiau'n garnedd hyd y lle.
Y milwyr sydd yno mwy
Ger wal yr hen waith nwy
Ac mae'r weiren bigog ddiawl yn codi'n uwch,
Rhed y tanciau drwy'r Bogside
O Dduw be maen nhw'n neud
I'r dref a gerais i cyd?

5   Y mae'r miwsig yn fud
Ond yn 'i flaen yr aiff eu byd
A'u hysbryd er mor friw sydd heb dorri.
Nid anghofiant y trais
Ond codant eu llais
Am heddwch a rhyddid rhyw yfory.
'R hyn a wnaed a wnaed
'R hyn a gaed a gaed
'R hyn a gollwyd, a gollwyd yn oes oesoedd,
Ond gweddiaf yn awr
Am doriad newydd wawr
Yn y dref a gerais i cyd.

136 Y Dyn Pwysig

1   Y fi yw'r pen pwysigyn ar Gyngor mawr y dre,
Y fi sy'n gosod y ddeddf i lawr ac yn dangos be 'di be.
Y fi sydd yn y gadair beth bynnag fydd y pwnc,
Distewir pob gwrthryfel dim ond imi glirio'n llwnc.

Cytgan: O rwy'n bwysig,
        Rwy'n bwysig bobol bach,
        Ydw rwy'n bwysig,
        Rwy'n bwysig bobol bach!

2   Y fi yw tad y pwyllgor, mae'r pwyllgor yn blant i mi,
Rwy'n credu mewn Democratiaeth, fy Nemocratiaeth i,
Mae gen i fys ym mhob rhyw frywes, a phrocer ymhob rhyw dân,
Am mai diwedd y gân yw'r geiniog, a'r geiniog yw diwedd y gân.
O! rwy'n bwysig, rwy'n bwysig, bobol bach!

3   Rwy'n flaenor yn y capel, rwy'n Ynad ar y fainc,
Mae gen i fab yn New York State, a 'chalet' mas yn Ffrainc,
Rwy'n golofn i'r gymdeithas, yn asgwrn cefn i'r fro
A gwelir pawb yn plygu'u pen pan af â'r wraig am dro.
O! rwy'n bwysig, rwy'n bwysig, bobol bach!

4   Fe'm urddwyd yn yr orsedd, fe'm gwisgwyd mewn gwisg wen,
Taenellwyd blodau o dan fy nhraed, a sebon am fy mhen,
Rwy'n aelod o Lys y Brifysgol, rwy mewn gyda'r BBC,
A chefais air y byddaf toc yn barchus CBE.
O! rwy'n bwysig, rwy'n bwysig, bobol bach!

5   Rwy'n aelod o'r Pwyllgor Addysg er 1933,
Rwy'n nabod pob prifathro'n y sir, (neu mae nhw'n fy nabod i!)
Rwy'n un o'r Seiri Rhyddion, mae 'ngwraig ar yr Inner Whîl
Ac mae 'nghyfri banc yn chwyddo bob wythnos, fil wrth fil.
O! rwy'n bwysig, rwy'n bwysig, bobol bach!

137 Y Dyn Pwysig

Ail Fersiwn—Chwarter Canrif yn Ddiweddarach

1 Dw i ddim cweit mor bwysig ag yr o'n i flynyddoedd yn ôl
   Mae llawer o ddŵr wedi mynd dan y bont ac wedi 'ngadael i ar ôl.
   Mi gollais fy sedd ar y Cyngor i ryw lencyn di-brofiad a hy
   A hynny ar ôl imi roi oes o waith dros y bobol, a'r ardal a fi.

   Cytgan: Dwi ddim mor bwysig,
   Dwi ddim mor bwysig, bobol bach.

2 Rwy'n dal yn flaenor yn y capel ond does neb o bwys yn mynd yno'n awr
   A dwi'n meddwl nad oes gan Dduw erbyn hyn fawr i ddweud wrth blant y llawr
   Does dim parch i henaint bellach, nac i oes o Lafur chwaith
   A byw ar y dôl yw unig nod disgynyddion gwerin y graith.

3 Mae holl amser y Pwyllgor Addysg yn mynd i ddadle ar gownt yr iaith
   Yn lle'u bod, fel yr oeddem ni, yn mynd yn ddistaw ymlaen â'n gwaith
   Rwy'n dal ar Lys y Brifysgol, ond does neb yn gwrando arna i
   Am na ches i fy ngwneud yn Arglwydd, ac am na ches i byth mo'r CBE.

4 Rwy'n aelod ffyddlon o'r Orsedd ond rwy'n dechre cael llond bol ar y sioe
   Am na fydda'i byth yn Archdderwydd, (fel bardd dwi ddim llawer o foi)
   Mae'n ffrindie gore yn y carchar ac un neu ddau newydd ddod mas
   A phan af am dro lawr y stryd gyda'r wraig, mae pobol yn edrych yn gas.

138 Yng Nghwmni'r Iesu

(Alaw: 'My Way')

1 Rwy'n dod i ben y daith, ond nid wyf fi am wangalonni
   Wrth orffwys wedi'r gwaith fe ddaw'r atgofion lu i'm llonni
   Mi gefais fywyd llawn, a llawer iawn o siom i'm llethu
   Trwy hyn i gyd, rwy'n wyn fy myd, yng nghwmni'r Iesu.

2 Rwy'n cofio'r dyddiau gynt yn llwybrau 'nhad ym mro fy mebyd
   Y dyddiau'n mynd fel gwynt, yr hafau'n hir heb gwmwl adfyd
   Ond pan gawn innau gam, roedd breichiau Mam i fy anwesu
   Trwy hyn i gyd, rwy'n wyn fy myd, yng nghwmni'r Iesu.

   Wrth dyfu'n ddyn, daeth awel groes
   A chofiaf awr y cur a'r loes
   Mi gofia'r boen yn llygaid Mam
   A'r hiraeth mawr yn pylu'r fflam
   Ond pwyso wnaeth, ar hyd y daith
   Ar gwmni'r Iesu.

139 Yma Mae 'Nghalon

1.   Mae'r gwynt yn y simdde yn rhuo fel llew,
     A'r pistyll yn llonydd dan arfbais o rew,
     Hel cardod mae'r robin a'i lygaid bach hy',
     A lluwch mawr o eira wrth dalcen y tŷ.

Cytgan: Yma mae 'nghalon, yma mae 'nghân:
          Yma mae 'nghalon, yma mae 'nghân.

2.   Fe chwelir y cwysi gan ddannedd yr og,
     A chlywir o'r pellter hen ddeunod y gog,
     Cyn hir daw y wennol i'r bondo yn ôl
     A'r awel i ddawnsio ar laswellt y ddôl.

3.   Mae caeau'r cynhaeaf yn weigion bob un
     A'r hen fwgan brain a saif wrtho'i hun,
     Mae'r ydlan yn orlawn gan sgubau yr ŷd
     A'r haul sydd yn machlud yn orchest i gyd.

4.   Daw hyrddwynt yr Hydref fel cawr dros y bryn
     I erlid y tonnau dros wyneb y llyn,
     Y dail sydd yn syrthio'n gawodydd o'r coed
     I guddio troadau yr hen lwybr troed.

140 Yma o Hyd

Cyfansoddwyd ar gyfer 'Taith Macsen' gydag Ar Log, Chwefror a Mawrth, 1983, wrth gofio 600 mlwyddiant ymadawiad Macsen Wledig a geni'r genedl Gymreig

flwy-ddyn tri chant wyth tri, A'n ga-dael yn ge-ne-dl gy-fan a

E7 Am C G

he-ddiw we-le ni; Ry'n ni y-ma o hyd. Ry'n ni y-ma o

E7 Am Am

hyd ————————, er gwae-tha pawb a pho-peth, Er

G Am

Fine 3ydd tro

gwae-tha   pawb   a   pho-peth ry'n ni y-ma o   hyd.

G   E7   Am

1 Dwyt ti'm yn cofio Macsen
   Does neb yn ei nabod o;
   Mae mil a chwe chant o flynyddoedd
   Yn amser rhy hir i'r co'
   Pan aeth Magnus Maximus o Gymru
   Yn y flwyddyn tri chant wyth tri
   A'n gadael yn genedl gyfan
   A heddiw—wele ni!

Cytgan: Ry'n ni yma o hyd! Ry'n ni yma o hyd
           Er gwaetha pawb a phopeth
           Er gwaetha pawb a phopeth
           Er gwaetha pawb a phopeth
           Ry'n ni yma o hyd.

           (Ailadrodd)

2 Chwythed y gwynt o'r Dwyrain
   Rhued y storm o'r môr
   Hollted y mellt yr wybren
   A gwaedded y daran encôr
   Llifed dagrau'r gwangalon
   A llyfed y taeog y llawr
   Er dued y fagddu o'n cwmpas
   Ry'n ni'n barod am doriad y wawr!

3 Cofiwn i Facsen Wledig
   Adael ein gwlad yn un darn
   A bloeddiwn gerbron y gwledydd
   'Mi fyddwn yma tan Ddydd y Farn!'
   Er gwaetha pob Dic Siôn Dafydd
   Er gwaetha 'rhen Fagi a'i chriw
   Byddwn yma hyd ddiwedd amser
   A bydd yr iaith Gymraeg yn fyw!

Fersiwn arbennig a gyfansoddwyd i Chwarelwyr Blaenau Ffestiniog:

1 Ar gyrion Gorllewin Ewrop, mae dyffryn a chraig a llyn,
   Ac yma bu'r Cymry'n ymdrechu i gadw y fflam ynghyn,
   Dan sawdl y landlord a'i ddeddfau, dan ormes yr arglwydd o'i blas,
   Bu'r werin yn crafu bywoliaeth, a chreu cyfoeth o'r garreg las.

   Cytgan: Ry'n ni yma o hyd (2)
              Er gwaetha pawb a phopeth (3)
              Ry'n ni yma o hyd!

2 Galwn yn awr gyda'n gilydd ar ein pobl i sefyll fel un
   I gyfannu rhwygiadau cymdeithas, er urddas pob gwraig a phob dyn,
   Mynnwn ein hawliau fel gweithwyr, a mynnwn ddyfodol i'n gwlad
   Dros heddwch a rhyddid a gobaith, fe gerddwn yn llawen i'r gad.

141 Ymson Prydeiniwr

Yng nghysgod Thatcheriaeth yr 80au.
Geiriau sy'n dal i ddisgwyl am alaw

1   Mi geisiais feistroli gwleidyddiaeth
(Ac roedd hynny yn orchwyl go fawr)
I ddeall pam bod angen diweithdra
I dynnu'r hen chwyddiant 'ma i lawr.

2   Mae'n amlwg fod cael gormod yn gweithio
Yn ddrwg i economi'r wlad,
Rhaid cael gwared o filiwn bach eto
Cyn cael Prydain yn ôl ar ei thra'd.

3   Mi fuon ni'n byw dan gamargraff
Yn credu fod gwaith yn beth da,
Ond ma fe Norman Tebbitt wedi'i gweld hi—
Mae gormod o weithwyr yn bla!

4   Pa obaith oedd da'r economi i ffynnu
A'r coliers yn ei godro hi'n sych?
Ond mae'r ateb yn syml—cau'r pylle!
—Mae athroniaeth 'rhen Fagi yn wych!

5   Rwy'n gweled o bell gyfeillion,
Y dydd y bydd pawb ar y dôl,
Chwyddiant wedi llwyr ddiflannu,
A'r hen wlad ar ei thra'd yn ei hôl!

6   Mi gawn ni ryfel bach bob rhyw bum mlynedd
Ar ryw ynys ym mhen draw'r byd
I ddangos ein bod ni'n dal yma
Ac yn rheoli y tonnau o hyd.

7   A rhag ofn i'r plant gicio'u sodle
Fe gân nhw i gyd fynd i'r armi am sbel
I ddysgu sut mae bomio a saethu—
A chadw eu sgidie yn ddel.

8   Ac os na fydd 'na allforion
Na rhoddion i'r trydydd byd,
Fe werthwn ni dancie a bomie—
Mae galw am rheiny o hyd.

9   Ond pan fyddaf yn gorwedd yn 'y ngwely
Mae un cwestiwn yn 'y nghadw i ar ddi-hun—
Os na fydd na neb o ni'n gweithio
Pwy ddiawl dalith gyflog y Cwîn?

142 Ynom y Mae Cymru

I'm ffrindiau yng Nghôr Penyberth, ar alaw Nan Elis, gyda diolch

1   Ni fynnwn wylo dagrau ofer heno
     Na chwyno nad yw'r byd 'ma fel y bu,
     Ni fynnwn ganu hiraeth na ffarwelio
     Na dal ein pennau'n isel yn ein plu;
     Mi ganwn gyda'n gilydd am y bywyd
     Sy'n llifo'n gyflym drwy'n gwythiennau ni,
     Ac mi ganwn am y ffydd na fydd yn newid
     A'r Gymru sydd yn dal er gwaetha'r lli.

     Cytgan: Ynom y mae Cymru, Cymru'n deffro
                Ynom y mae Cymru, Cymru'n rhydd,
                Nid ydym yma i weld y machlud heno
                Ond yma i weld llawenydd toriad dydd.

2   Mae awel gre' ym mrigau'r winllan heno
     Yn adrodd hanes brwydr gwerin gwlad,
     A cherddwn hyd ei llwybrau yn llawn cyffro
     Drwy ganu cân llawenydd ein parhad.
     Yn sŵn y gwynt fe glywn ni adlais lleisiau
     Caneuon pobloedd gwledydd bach y byd,
     Mae'n cytgan ni yn gytgan iddynt hwythau
     A'n brwydr sy'n ein tynnu oll ynghyd.

143 Yn Groeso iddo Ef

1   Mae sŵn y gynnau ar yr awel heno
     A'r bychan yn wylo mewn cell
     Wrth gofio geni'r Baban ym Methlem Jiwdea
     Ar ein gwaetha mae'r Nadolig ymhell.

     Cytgan: Mewn pwll o fiswail yn nhŷ'r anifail
                Roedd golau seren y nef
                Ac wele roddion bugeiliaid a doethion
                Yn groeso iddo Ef.

2   Mae cysgod angau dros ein daear heno
     A'r diniwed heb loches i ffoi
     Wrth gofio geni'r Baban ym Methlem Jiwdea
     Ar ein gwaetha mae'r drysau wedi cloi.

3   Mae nodau'r garol ar yr awel heno
     A llawenydd lleddf yn ei chân
     I gofio geni'r Baban ym Methlem Jiwdea
     Ar ein gwaetha mae'r eira yn lân.

144 Ynys yr Hud

(Ar alaw 'Island of Dreams')

1   Rwy'n cerdded y strydoedd a'r heirddion neuaddau,
    Ceisiaf d'anghofio, ond rywsut o hyd
    Daw imi atgofion am euraid funudau
    Gawsom ni draw ar hen Ynys yr Hud.

2   Fry yn y nen mae aderyn bach ffri,
    O dôs â mi yno
    Draw, draw ymhell rhag y dyrfa a'i chri,
    O, dos â mi yno,
    Ac yno caf rodio yng nghwmni'r atgofion
    Ar hudol draethau hen Ynys yr Hud.

145 Yno yr Wylodd Efe

I gofio'r ddau a fu farw yn Abergele noswyl 'Arwisgiad' '69

1   Daeth heibio ar dro rhyw ddiwrnod
    I grwydro hyd lwybrau ei wlad,
    A gwelodd ymarfer y milwyr
    Lle gynt y bu preiddiau ei dad,
    Ac yno islaw yn y dyffryn
    Lle bu'r cartref, yr ysgol a'r Llan,
    Fe godai yr argae o goncrid
    Ac amdo o ddŵr dros y fan.

    Cytgan: Yno yr oedodd,
              Yno y gwelodd,
              Yno yr wylodd efe.

2   Fe welodd y gwaed ar y muriau
    Yn y dre lle bu farw'r ddau,
    Ac âi pawb o'r tu arall heibio
    Gan ddweud 'Arnyn nhw roedd y bai'
    Gan na fuont farw mewn rhyfel,
    Nid eiddynt anrhydedd na chlod,
    Onid ffyliaid, dihirod oeddynt?
    Onid ffôl ac annheilwng eu nod?

3   Gwelodd ddwy fam yn eu dagrau,
    Heb neb i'w cysuro hwy,
    A gwelodd y plant bach diniwed
    Na welai eu tad byth mwy.
    Pan aed â'r gweddillion briwedig
    I orwedd ym mynwent y plwy'
    Dim ond dyrnaid o bobl yn unig
    A fynnai eu harddel hwy.

4   Ond draw ar lan afon Menai
    Y gwelodd y miloedd ynghyd,
    Yn bloeddio taeogrwydd eu croeso
    I'r drefn a'u caethiwodd cyhyd,
    Ac yno fe welodd y milwyr
    Gydâ'r bidog a'r gwn ym mhob llaw
    Ac eco'u martsio'n atseinio
    Rhwng creigiau Dinorwig draw.

*Caewyd Chwarel Dinorwig drannoeth yr Arwisgo

146 Y Pedwar Cae

Addasiad o gân Tommy Makem, 'The Four Green Fields'

1 'Beth oedd i'm rhan?' meddai'r hen wraig yn dawel
'Beth oedd i'm rhan?' meddai'r hen wreigan drachefn
'Roedd gen i bedwar cae, a phob un oedd yn werthfawr
Ond estron ddaeth a cheisio'u dwyn 'wrthyf fi
Roedd gen i feibion dewr i warchod dros fy meysydd,
Bu farw'r rhain a drylliwyd fy myd,' medd hi.

2 'Amser maith yn ôl,' meddai'r hen wraig yn dawel
'Amser maith yn ôl,' meddai'r hen wreigan drachefn
'Bu rhyfel hir, rhaib a thrais a gormes
A'm plant heb fwyd ar fynydd, gweundir a glyn
A'u crio taer yn esgyn hyd y nefoedd
A'r pedwar cae oedd yn goch gan eu gwaed' medd hi.

3 'Beth sydd i'm rhan?' meddai'r hen wraig yn dawel
'Beth sydd i'm rhan?' meddai'r hen wreigan drachefn
'Mae gen i bedwar cae, ac un sydd mewn caethiwed
Dan estron law a ddaeth i'w dwyn 'wrthyf i
Ond mae plant fy mhlant mor ddewr ag oedd eu tadau
A'r pedwerydd cae ddaw eto yn rhydd,' medd hi.

147 Y 'Steddfod Beilingwal

1 Rhowch faneri ar dŷ'r arglwyddi
Rhowch fflags ar do'r tai bach,
Agorwyd drysau'r 'ghetto' i dderbyn yr awel iach,
Rhyddhawyd traed y caethion
Gall pawb nawr wneud ei 'thing'
Bydd canu yn y nefoedd
Am fod y 'Steddfod wedi mynd yn bei-ling.

2 Bydd tafarndai tref y Steddfod
Oll yn crynu hyd eu sail,
A'r bois yn canu emynau
Cymraeg a Saesneg bob yn ail,
Bydd Pontshân yn taflu'i berlau
Dwyieithog o flaen y moch,
Ond rhaid i'r heniaith gadw'i
Hawlfraint ar englynion coch.

3 Bydd yr altos yn llawer hapusach
A mwy cartrefol, yn neno'r dyn,
Gan mai Saesnes oedd Eurydice
Cânt ei chyfarch yn ei hiaith ei hun,
Lliwiwyd peisiau'r orsedd
Yn goch a glas a gwyn,
Ac am adrodd darn o Shakespeare
Rhoddir Gwobr Goffa Llwyd o'r Bryn.

4 Bydd Ymryson y Beirdd yn gyflafan
A'r prydydd yn foddfa o chwys,
Wrth geisio cynganeddu
'Equal validity' yn llewys ei grys.
Rhoir y gadair am awdl goffa
I gyngor Rhondda a Morgannwg fawr,
Arloeswyr y frwydr dros ryddid
A chwalodd y rhagfuriau i'r llawr.

5 Cyfieithwyd Dawns y Blodau
Yn ddawns yr English Rose,
A chaiff y Liverpool Philharmonic
Ganu'n Saesneg ar hyd y nos,
Yr unawd cerdd dant fydd datganiad
O *Eskimo Nell* ar alaw Llwyn Onn,
A'r Fedal Ryddiaith am ddeialog
Rhwng Andy Pandy a Lili Lon.

148 Yr Anthem Geltaidd

(Alaw: Hefin Elis)

♩. = 72 (doh = G)

Yr Anthem fuddugol mewn cystadleuaeth o dan nawdd yr Ŵyl Ban-Geltaidd

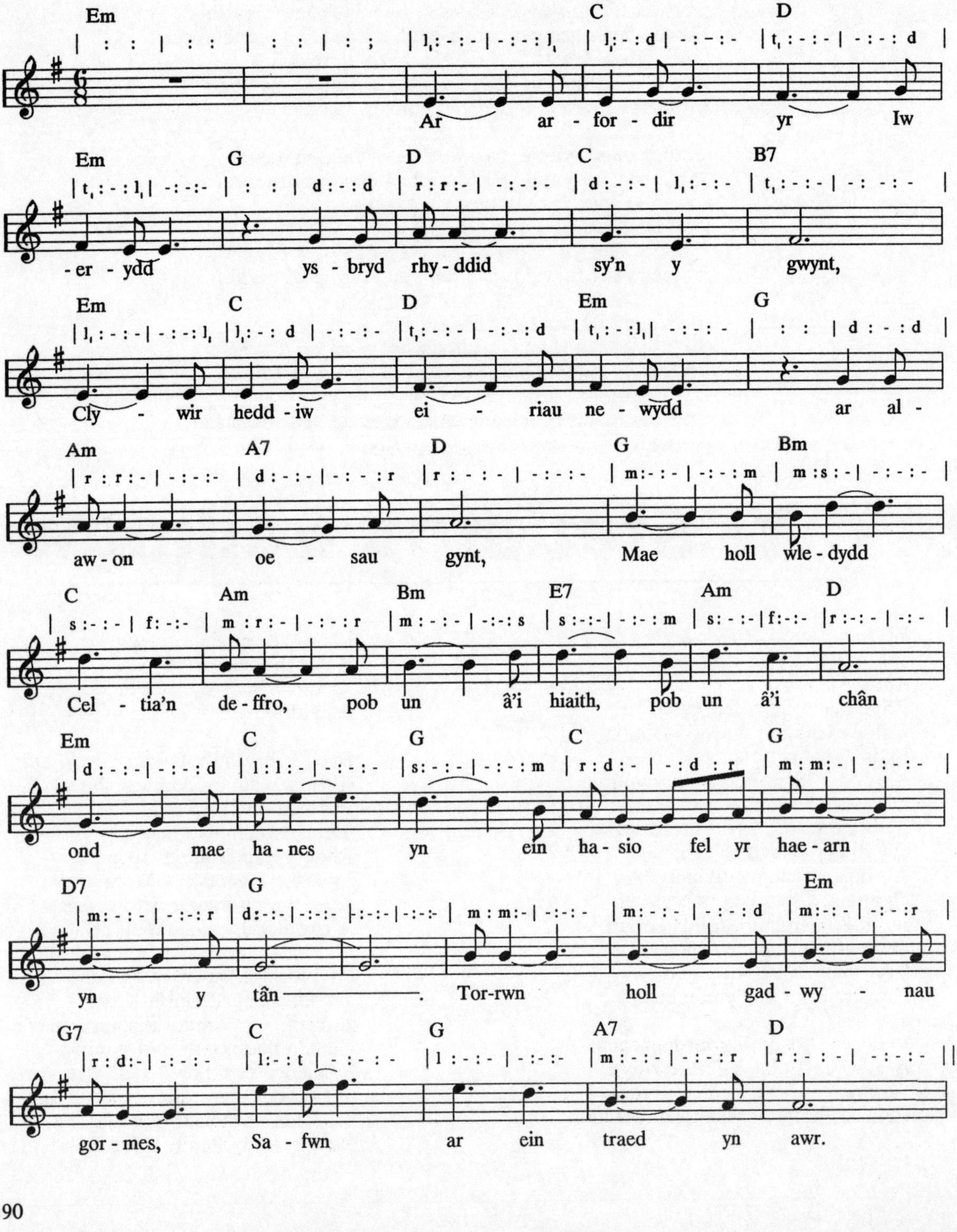

Em C D
Ar ar - for - dir yr Iw
Em G D C B7
-er - ydd ys - bryd rhy - ddid sy'n y gwynt,
Em C D Em G
Cly - wir hedd - iw ei - riau ne - wydd ar al -
Am A7 D G Bm
aw - on oe - sau gynt, Mae holl wle - dydd
C Am Bm E7 Am D
Cel - tia'n de - ffro, pob un â'i hiaith, pob un â'i chân
Em C G C G
ond mae ha - nes yn ein ha - sio fel yr hae - arn
D7 G Em
yn y tân———. Tor-rwn holl gad - wy - nau
G7 C G A7 D
gor - mes, Sa - fwn ar ein traed yn awr.

Tros war - ei - ddiad a thros hedd-wch trown ein

hwy-neb tu - a'r wawr.

Ar arfordir yr Iwerydd
Ysbryd rhyddid sy'n y gwynt,
Clywir heddiw eiriau newydd
Ar alawon oesau gynt,
Mae holl wledydd Celtia'n deffro
Pob un â'i hiaith,
Pob un â'i chân,
Ond mae hanes yn ein hasio
Fel yr haearn yn y tân,
Torrwn holl gadwynau gormes,
Safwn ar ein traed yn awr,
Tros wareiddiad a thros heddwch,
Trown ein hwyneb tua'r wawr.

149 Yr Hawl i Fyw mewn Hedd

Trosiad o 'El Derecho De Vivir En Paz', Victor Jara

1   Am yr hawl i fyw yn rhydd
    Y canai'r bardd Ho-Chi Minh
    Taro'r ergyd o Fietnam
    Dros bawb o'r ddynol ryw
    Ni all yr un gwn ddileu
    Y gŵys draw yn dy gae
    A'r hawl i bobol fyw mewn hedd.

2   Indo-Cheina ydyw'r fan
    Tu draw i'r cefnfor mawr
    Lle ffrwydrant flodau'r tir
    A napalm yn lladd yr hil,
    Onid ffrwydriad yw'r lloer yn y nen
    Sy'n uno'r alwad daer
    Am yr hawl i bobol fyw mewn hedd?

3   Ewyrth Ho, fe ganwn gân
    Sy'n fflam o gariad pur,
    Colomen yn ei thŷ
    Olewydd ar y pren
    Hon yw cân y byd yn grwn
    Y gadwyn sy'n ennill y dydd
    A'r hawl i'n pobol fyw mewn hedd.

150 Yr Hen, Hen Hiraeth

Wel, does dim disgwyl i rywun fod yn optimist drwy'r amser

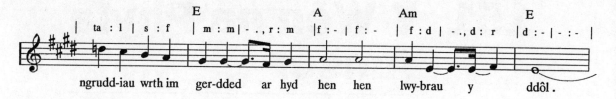

ngrudd-iau wrth im ger-dded ar hyd hen hen lwy-brau y ddôl.

1   Mae'r dyddiau'n gwibio heibio ar fy ngwaetha
    Ac mae'r rhod yn dal i droi yn gynt na chynt.
    Mae hen wlad fach fy nhadau yn diodde'r newidiadau
    Ac mae'r goeden dderwen ddewra yn gwyro yn y gwynt.

Cytgan: Ond mae'r hen, hen atgofion yn dal i dorri 'nghalon
         Ac mae'r hen, hen hiraeth yn dod yn ôl
         Ac mae'r hen, hen ddagrau yn dal i losgi 'ngruddiau
         Wrth im gerdded ar hyd hen, hen lwybrau y ddôl.

2   Mae arwyddion mawr Cymraeg ar hyd y draffordd—
    Y draffordd sydd yn mynd i Loeger draw.
    Ac mae'r traffig gwyllt diderfyn yn mynd â phlant y dyffryn
    Ymhell o fro'u cynefin yr ânt dan godi llaw.

3   Mae bwthyn bach fy nain yn fwthyn gwyliau
    A'r teledu sydd yn llenwi cornel taid
    Ac mae iaith y cwrdd a'r sasiwn yn newid gyda'r ffasiwn
    Ac yn llifo ar hyd y gwifrau yn garnifal di-baid.

151 Y Wên na Phyla Amser

I gofio D.J.Williams, Abergwaun

1   Roedd hwn mor rhydd â'r awel
     Yng nghoedwig Esgairgeir,
     Yr awel sydd yn chwythu lle y mynn,
     Ni fedrodd muriau carchar
     Gaethiwo'r galon fawr,
     Y galon sydd yn curo dan yr ynn.

     Cytgan: Y wên na phyla amser
               Y fflam na ddiffydd byth,
               Mae'r gŵr o Rydcymerau'n fyw i ni;
               Y wên na phyla amser
               Y fflam na ddiffydd byth
               Mae'r gŵr o Rydcymerau'n fyw i ni.

2   Fe welodd hwn ryfeddod
     A hud ei filltir sgwâr,
     Adroddodd inni chwedlau llon ei hil,
     Dangosodd inni fawredd.
     Gwerin yr erwau gwâr
     Rhoes gip i ni ar ryddid yn ei sgil.

3   O rho i ni gyfrinach
     Y weledigaeth fawr,
     Rho golsyn bach o'r tân a lysg mor lân,
     Fel y gallwn ninnau gredu
     Fel y credaist ti
     A gweled rhyfeddodau'r pethau mân.

Discograffeg

Recordiau sengl ac *EP* ar label Welsh Teldisc (gydag EDWARD)

1966 WRTH FEDDWL AM FY NGHYMRU
Wyt ti'n cofio, Bryniau Bro Afallon, Meddwl amdanat ti
TEP 861

1966 MAE'N WLAD I MI
Gee ceffyl bach, Crwydro, Mae'r esgid fach yn gwasgu
TEP 864

1967 RWY'N GWELD Y DYDD
Beth yw'r haf i mi?, Hyn sydd yn ofid im, Stôl i ddau
TEP 865

1967 CLYW FY NGHRI
Mae geneth fach yng Nghymru, Rhaid yw dal yn ffyddlon, Paid â chware efo'm serch, Tyrd yn ddi-oed
TEP 866

1967 CÂN YR YSGOL
Chwarae â 'nghalon, Pan glywaf gân y clychau, Trwy'r drysni a'r anialwch
TEP 867

1968 DAW, FE DDAW YR AWR
Siôn a Siân, Cân y ddinas
TEP 868

1968 CÂN Y MEDD
Tri mis o ddathlu mawr, Cân y glöwr, Sam
TEP 871

1968 A CHOFIWN EI ENI EF
Mair paid ag wylo mwy, Seinir cyrn a chaner clych, Nos ym Methlehem
TEP 875

1969 CARLO
Y dyn pwysig
WD 913

CROESO CHWEDEG NAIN
Gad fi'n llonydd
WD 914

Recordiau, fideo a Chryno-Ddisgiau ar label SAIN

1969 MYN DUW, MI A WN Y DAW
Mari fawr Trelech, Ai am fod haul? *(EP)*
Sain 2

1970 PEINTIO'R BYD YN WYRDD
Mae 'na le yn tŷ ni, Yma mae 'nghalon, Mr Tomos os gwelwch chi'n dda *(EP)*
Sain 7

1971 PAM FOD EIRA YN WYN?
Weli di Gymru?, Cân y 'Western Mail' *(EP)*
Sain 18

1972 GORAU CYMRO, CYMRO ODDI CARTREF
Yno yr Wylodd Efe (Sengl)
Sain 26

1972 YMA MAE 'NGHÂN *(LP)*
Wrth feddwl am fy Nghymru, Daw fe ddaw yr awr yn ôl i mi, Mae geneth fach yng Nghymru, Croeso chwedeg nain, Beth yw'r haf i mi?, Cân y medd, Gee ceffyl bach, Hyn sydd yn ofid im, Cân y glöwr, Cân yr ysgol, Gad fi'n llonydd, Rwy'n gweld y dydd
Sain C509

1973 TYWYSOG TANGNEFEDD
Mae hiraeth yn fy nghalon, Y 'Steddfod beiling, Mae'r llencyn yn y jêl *(EP)*
Sain 37

1976 MAE'R DARNAU YN DISGYN I'W LLE *(LP)*
Dos f'anwylyd, Mae'r darnau yn disgyn i'w lle, Mae prydferthwch, Dewch i lan y môr, Siarad â ti a mi, Mae rhywun yn y carchar, Baled yr eneth eithafol, Dacw 'nghariad, Merch y mynydd, Mynd yn ôl, Cyn delwyf i Gymru'n ôl, Dim ond un gân
Sain C545/1045D

1977 CARLO A CHANEUON ERAILL (gydag EDWARD) *(LP)*
Carlo, Bryniau Bro Afallon, Sam, Cân y ddinas, Crwydro, Meddwl amdanat ti, Mae'n wlad i mi, Y dyn pwysig, Mae'r esgid fach yn gwasgu, Wyt ti'n cofio, Chwarae â 'nghalon, Trwy'r drysni a'r anialwch, Siôn a Siân, Clyw fy nghri
Sain C708G

1977 I'R GAD *(LP)*
Mae 'na le yn tŷ ni, Ai am fod haul yn machlud, Cân y 'Western Mail', Tywysog Tangnefedd, Mae'r llencyn yn y jêl, Peintio'r byd yn wyrdd, Yma mae 'nghalon, Pam fod eira'n wyn, Y 'Steddfod beiling, Myn Duw mi a wn y daw, Mr Tomos os gwelwch chi'n dda, Mae hiraeth yn fy nghalon, Weli di Gymru, I'r gad
Sain C709G

1979 BOD YN RHYDD *(LP)*
Weithiau bydd y fflam, Cân Victor Jara, Santiana, Teg oedd yr awel, Mari Malŵ, Bod yn rhydd, Baled y 'Welsh not', Peidiwch gofyn i mi ddangos fy ochr, Penillion i Gilmeri, Mae'n disgwyl, Hwyr Brynhawn
Sain C75ON

1980 MAGI THATCHER
Sul y blodau (Sengl)
Sain 86S

1981 DAFYDD IWAN AR DÂN *(LP)*
A gwn fod popeth yn iawn, Teg oedd yr awel, Ac fe ganon ni, Parodi ar 'Eifionydd', Magi Thatcher, Mae rhywun yn y carchar, Y dref a gerais i cyd, Pam fod eira yn wyn, Am na ches i wâdd i'r briodas, Parodi ar 'Hon', Cân serch (i awyren ryfel), Y pedwar cae, Bod yn rhydd, Cân Victor Jara, Yr hawl i fyw mewn hedd
Sain C95S

1982 CERDDWN YMLAEN
Y gelynnen (gydag AR LOG) (Sengl)
Sain C95S

1982 RHWNG HWYL A THAITH (gydag AR LOG) *(LP)*

Dail y teim, Maen nhw'n paratoi at ryfel, Abergenni, Y blewyn gwyn, Y pedwar cae, Dechrau'r dyfodol, Ciosg Talysarn, Y dref a gerais i cyd, Heol y felin/Ilffracwm, Lleucu Llwyd, Cerddwn ymlaen

Sain 852N/1252M

1983 YMA O HYD (gydag AR LOG) *(LP)*

Y wên na phyla amser, Cwm ffynnon ddu, Adlais y gog lwydlas, Tra bo hedydd, Laura Llywelyn, Ffidil yn y to, Hoffedd Gwilym/ Mynydd yr heliwr/Nans o'r felin/Hoffedd Jac Murphy, Cân Wiliam, Cân y medd, Pêr oslef, Y chwe chant a naw, Yma o hyd

Sain C875N

1986 GWINLLAN A RODDWYD (I gofio'r tri) *(LP)*

Hawl i fyw, Os na fydd 'na Gymru yfory, Cwyngan y Sais, Mi glywaf y llais, Gwinllan a roddwyd, Draw dros y don, Cân i D.J., Mae'r Saesneg yn esensial, Yr hen, hen hiraeth, Cân goffa Lewis Valentine, Gweddi dros Gymru

Sain C985N/1385M

1988 BOD YN RHYDD/GWINLLAN A RODDWYD (Cryno-Ddisg)

Draw dros y don, Cân D.J., Mae'r Saesneg yn esensial, Yr hen, hen hiraeth, Cân Lewis Valentine, Gweddi dros Gymru, Hawl i fyw, Os na fydd 'na Gymru yfory, Mi glywaf y llais, Gwinllan a roddwyd (i gofio Saunders Lewis), Weithiau bydd y fflam, Cân Victor Jara, Santiana, Teg oedd yr awel, Mari Malŵ, Baled y 'Welsh not', Peidiwch gofyn imi ddangos fy ochr, Mae'n disgwyl, Hwyr brynhawn

Sain SCD 8085

1989 DAFYDD IWAN YNG NGHORWEN (Fideo)

Yn iach iti Gymru, Wrth feddwl am fy Nghymru, Cân y medd, Peintio'r byd yn wyrdd, Mae'n wlad i mi, Cân Mandela, Mae'r llencyn yn y jêl, Cân yr Aborijini, Baled yr eneth eithafol, Rwy'n dal i gredu, Cân Victor Jara, Cilmeri, Mae gen i freuddwyd, Magi Thatcher, Pam fod eira yn wyn, Hawl i fyw, Gweddi dros Gymru (Finlandia), Yma o hyd, Gwinllan a roddwyd, I'r gad

Sain CF08

1990 DAL I GREDU (Casét/Cryno-Ddisg)

Draw ymhell, Fel yna mae hi wedi bod erioed, Cân Angharad, Oscar Romero, Esgair Llyn, Cân Mandela, Dal i gredu *(My Way)*, Cân i Helen, Cân yr Aborijini, Awel yr Wylfa *(Buachaill an Eirne)*, Doctor Alan, Cân y fam, Yr Anthem Geltaidd.

Sain C453/SCD4053

1992 DAFYDD IWAN YN FYW O'R CNAPAN (Fideo)

Pam fod eira yn wyn, Draw draw ymhell, Moliannwn, Oscar Romero, Cân Angharad, Cân Victor Jara, Doctor Alan, Esgair Llyn, Cerddwn ymlaen, Yma o hyd, I'r gad, Wrth feddwl am fy Nghymru, Hen wlad fy nhadau

Sain CF34C

Rhai llyfrau cerdd eraill o'r Lolfa

GWIN BEAUJOLAIS
Robat Arwyn a Robin Llwyd ab Owain
Dwsin o ganeuon swynol wedi'u trefnu ar gyfer un, dau, tri a phedwar llais:
mi gewch hwyl aruthrol yn eu canu fel unigolyn neu mewn grŵp/côr.
£6.50

MABSANT
gol. Siwsann George a Stuart Brown
Casgliad hynod ddefnyddiol o 54 o'n caneuon gwerin mwyaf poblogaidd wedi'u trefnu
o'r newydd ar gyfer llais a gitâr; gyda chyfieithiadau a nodiadau hanesyddol.
£4.95

CANEUON RYAN
trefn. Eleri Huws
Unarddeg o ganeuon enwocaf, bythwyrdd Ryan wedi'u trefnu ar gyfer piano a llais.
£3.45

O LŶN I FFRISCO
T.Gwynn Jones
Deg o ganeuon swynol a chofiadwy i unawdwyr ac i gorau ar gyfer eisteddfod a
chyngerdd; trefniadau cerddorol cyflawn.
£5.95

CANEUON ISLWYN FFOWC ELIS
Islwyn Ffowc Elis
Casgliad poblogaidd o ganeuon wedi eu trefnu gan Robat Arwyn; yn cynnwys
ffefrynnau fel Cân Dashenka, Avignon, a Fy Llong Fach Arian I.
£4.50

MIWSIG Y MISOEDD
Robat Arwyn
Ugain o ganeuon i'w canu ar ddyddiau gŵyl ac achlysuron arbennig drwy'r flwyddyn:
ar gyfer ysgolion a chartrefi.
£4.50

DAWNSIE TWMPATH
gol. Eddie Jones
Casgliad safonol o 55 o ddawnsiau gwerin traddodiadol, adnabyddus; cerddoriaeth a
chyfarwyddiadau llawn ar gyfer galwyr.
£5.95

. . . a llu mawr o lyfrau eraill poblogaidd.
Am restr gyflawn o'n llyfrau cerdd a chyffredinol,
anfonwch yn awr am eich copi rhad o'n Catalog 80-tudalen.